INHALTSVERZEICHNIS

Spargel – das „königliche" Gemüse

Spargel ist eine uralte Kulturpflanze: Schon ägyptische Pharaonen, griechische Krieger und römische Kaiser schätzten den feinen Geschmack, aber auch die gesunden Inhaltsstoffe des Spargels. Jahrhundertelang bereicherte Spargel jedoch nur die Tafeln in vornehmen Adels- und Fürstenhäusern, denn Spargelanbau ist nicht unkompliziert und – wenn es sich um Bleichspargel handelt – ausgesprochen mühselig. Das erklärt auch den heute noch relativ hohen Preis des Edelgemüses. Denn die Pflanzen bringen erst im dritten Jahr Ertrag, müssen akkurat angehäufelt werden und die Stangen lassen sich nur von Hand unter mühsamem Bücken stechen. Zudem ist die Spargelsaison kurz: Sie dauert nur von Ende April bis zum Johannes-Tag, also dem 24. Juni. Die lange Regenerationszeit ist nötig, damit sich im nächsten Jahr ausreichend neue Sprossen bilden.

Kaum ein anderes Gemüse ist so lecker und dabei kalorienarm wie Spargel. Die schlanken Stangen enthalten nur wenig Eiweiß und Kohlenhydrate, fast kein Fett und überhaupt kein Cholesterin. Spargel ist stattdessen reich an Kalium und C- und B-Vitaminen. Er liefert Kalzium, Phosphor und die Asparaginsäure, die entwässernd und stoffwechselfördernd wirkt. Sein Energiegehalt beträgt gerade einmal 18 Kalorien pro 100 Gramm. Sie können also nach Herzenslust schlemmen, aber achten Sie dabei auf die Sahnesaucen, die Sie dazu servieren!

Das „Who is Who" der Spargelfamilie

Weiß, violett oder grün: Die Vettern der Spargelfamilie lassen durch ihre Farbe erkennen, wie sie angebaut wurden. Der **weiße Bleichspargel,** Favorit der deutschen Spargelliebhaber, wird auf Feldern mit Erdwällen kultiviert. Die Stangen werden gestochen, noch bevor sie ihren Kopf ins Tageslicht strecken. Sie bleiben rein weiß und schmecken sehr mild. Hat die Spargelstange den Erdwall schon durchbrochen, erhalten Sie **Spargel mit violetten Köpfen.** Diese Variante schmeckt etwas kräftiger und wird bei unseren französischen Nachbarn sehr geschätzt. Die US-Amerikaner wiederum kennen ausschließlich **Grünspargel,** der über der Erde wächst und geerntet wird, wenn er etwa 25 cm aus dem Boden herausgewachsen ist. Grünspargel kommt dem ursprünglichen Wildspargel am nächsten, er schmeckt kräftig und würzig. Seit einiger Zeit wird Grünspargel von heimischen Spargelbauern und Spargelfreunden neu entdeckt – kein Wunder: Er ist einfacher anzubauen als Bleichspargel, weil das aufwändige Anhäufeln entfällt, und unkomplizierter zu verarbeiten, weil man nur das untere Drittel der zarten Stangen schälen muss. Falls Sie in Rezepten weißen oder violetten Spargel durch Grünspargel ersetzen, sollten Sie die geringere Garzeit des Grünspargels beachten.

Neben der **Farbe** ist die **Handelsklasse** ein weiteres Unterscheidungsmerkmal für Spargel. Stangen der **Klasse Extra** müssen gerade und unbeschädigt, die Köpfe fest geschlossen sein. Sie sind mindestens 12 mm dick und 17 bis 22 cm lang. Spargel der **Handelsklasse 1** darf leicht gebogen, aber nicht krumm sein. Eine leichte Verfärbung ist zulässig. Der Durchmesser dieser Stangen muss mindestens 10 mm und die Länge mindestens 12 cm betragen. In **Handelsklasse 2** sind leichte Verformung, etwas stärkere Verfärbung und nicht ganz geschlossene Köpfe zulässig. Die Stangen sind mindestens 8 mm dick und dürfen schon leicht holzig schmecken. **Bruchspargel** ist keine offizielle Handelsklasse, wird aber häufig bei Spargelbauern oder auf Wochenmärkten angeboten. Die kurzen Spargelstücke oder der dünne Suppenspargel sind eine günstige Alternative zu Handelsklasse-Ware wenn Sie Spargelsalat oder Spargelsuppe zubereiten möchten.

Einkauf und Lagerung

Entscheidend für die Qualität des Spargels sind nicht nur Farbe und Handelsklasse, sondern vor allem die Frische. Überlagerte Stangen sind holzig und können bitter schmecken. Frischen Spargel erkennen Sie beim Einkauf an fest geschlossenen Köpfen und prall-glänzenden Stangen, die „quietschen", wenn Sie sie aneinander reiben. Die Schnittenden müssen saftig sein und frisch-aromatisch riechen. Verzichten Sie lieber auf den Spargelkauf, wenn die Stangen sich biegen, matt aussehen und Rillen aufweisen. Das Schnittende sieht dann vermutlich schon ausgetrocknet, zusammengeschrumpft und verfärbt aus. Bei abgepacktem Spargel sollten Sie sich keinesfalls auf das Aussehen der Köpfe verlassen, sondern die Umhüllung unten öffnen, um die Schnittenden zu sehen.

Falls Sie Ihren Spargel nicht sofort zubereiten, können Sie ihn – ungeschält – sauber, kalt und zugedeckt zwei bis drei Tage lagern. Am besten schlagen Sie ihn in ein feuchtes Geschirrtuch und legen ihn in das Gemüsefach des Kühlschranks. Auch geschälter Spargel lässt sich so aufbewahren – allerdings maximal einen Tag. Grünspargel lagern Sie am besten aufrecht, in etwas Wasser stehend, für ein bis zwei Tage.

Richtig vor- und zubereiten

Bleichspargel schält man immer von oben nach unten. Hierzu hält man die Stange mit den Fingerspitzen am Kopf und legt sie auf das Handgelenk. Setzen Sie Spargelschäler oder ein scharfes kleines Gemüsemesser unterhalb des Kopfes an und schälen zunächst hauchdünn, zum Ende dicker. Denn dort kann die Stange holzig werden und holzige Schalenreste machen sich nach dem Kochen unangenehm als zähe Fasern bemerkbar. Schneiden Sie das untere Ende so ab, dass keine harten Teile übrig bleiben. **Grüner Spargel** wird anders als weißer nur am unteren Drittel geschält.

Ob Sie zum Kochen einen hohen, schmalen Spargeltopf benutzen, in dem die Stangen aufrecht garen, ist Einstellungssache. Profis schwören darauf, denn so garen die Stangen im Wasser, die zarten Köpfe im Dampf. Wenn Sie keinen speziellen Spargeltopf haben, tut es auch ein normaler, breiterer Topf, in dem die Stangen liegen. Gießen Sie die Stangen mit so viel Wasser an, dass sie gut bedeckt sind. Ins Kochwasser gehört eine ordentliche Prise Salz (1 TL auf 2–3 Liter) und eine kleine Prise Zucker. Der mindert eventuelle Bitterstoffe ein wenig. Wer mag, gibt auch noch einen Stich Butter dazu, um den Geschmack zu verfeinern. Ein Tröpfchen Zitronensaft (aber wirklich nur wenig!) mindert Verfärbungen.

Die **Kochzeit** des Spargels, der immer in siedendes Wasser gegeben werden sollte, hängt vom Durchmesser der Spargelstangen und von Ihrem Geschmack ab: Wer den Spargel gern noch mit etwas Biss mag, kommt vielleicht schon mit 10–12 Minuten aus. Wer dicke Stangen butterweich garen möchte, braucht dagegen 20 Minuten oder mehr. Stechen Sie zur Garprobe mit einem spitzen Messer unten in die Stangen – dabei sollten Sie nur noch wenig Widerstand spüren. Die Stangen von Grünspargel sind meistens dünner als die von Bleichspargel, ihre Garzeit ist daher kürzer – etwa 8–15 Minuten.

Tipps und Tricks

Faustregel für ein klassisches Spargelessen: Rechnen Sie 500 g Spargel pro Portion.

Spargelabschnitte und **-schalen** nicht wegwerfen! Gut waschen und auskochen, dann als wohlschmeckende Brühe für Spargelcremesuppe verwenden.

Mit Ihrem **Gefriergerät** können Sie die kurze Spargelsaison wunderbar verlängern: Spargel schälen, roh (nicht blanchiert!) in einer Lage auf einem Backblech einfrieren, portionsweise in Gefrierbeutel verpacken. Er ist etwa sechs Monate haltbar. Den Tiefkühl-Spargel unaufgetaut in kochendes Salzwasser geben und garen.

Wer gerne einkocht: Spargel waschen und schälen, so abschneiden, dass die Stangen bis 1 cm unter den Rand des Einmachglases reichen. Roh mit dem Kopf nach oben in Einmachgläser stellen. Mit aufgekochter, dann abgekühlter Salzlösung (10 g Salz auf 1 l Wasser) aufgießen, verschließen und bei 100 °C etwa 70 Minuten einkochen.

Spargel ist gesund, enthält aber viel Purine, die im Körper zu Harnsäure umgewandelt werden. Daher sollten **Gicht-** und **Nierensteinpatienten** höchstens 200 g pro Tag essen.

Keinen Zitronensaft in das Kochwasser von Grünspargel geben – der könnte sich hässlich-grau verfärben.

Traumpartner
Spargel und feine Saucen

Muschel-Sauce
Weiße Grundsauce

ZUTATEN FÜR 4 PERSONEN

2 kg weißer Spargel
1 TL Salz, 1 Prise Zucker
1/2 TL Butter
Für die Muschel-Sauce (Sauce 1):
200 g Muschelfleisch (a. d. Glas)
1 Zwiebel, 1 EL Butter, 2 EL Mehl
350 ml Gemüsebrühe (Instant)
2 EL Kapern, Salz, Pfeffer
1 TL Senf
125 g saure Sahne
Für die weiße Grundsauce (Sauce 2):
1 EL Butter, 2 EL Mehl
350 ml Milch
Salz, Pfeffer, Muskatnuss

Zubereitungszeit gesamt ca. 35 Min.
Sauce 1 ca. 15 Min., Sauce 2 ca. 10 Min.
Pro Portion ca. 285 kcal / 1197 kJ
E 18 g, F 15 g, KH 18 g

1 Den Spargel von oben nach unten großzügig schälen und die holzigen Enden abschneiden. Etwa 3 Liter Wasser mit Salz, Zucker und Butter zum Kochen bringen und den Spargel darin bei milder Hitze etwa 15–20 Minuten garen.

2 Inzwischen für die Muschel-Sauce das Muschelfleisch in ein Sieb geben und gut abtropfen lassen. Die Zwiebel schälen und in Würfel schneiden. Die Butter in einem Topf schmelzen lassen und die Zwiebel mit dem Muschelfleisch darin unter Rühren etwa 2–3 Minuten anschwitzen. Das Mehl darüber stäuben und das Ganze mit der Gemüsebrühe ablöschen. Unter Rühren aufkochen lassen. Die Kapern gut abtropfen lassen und zur Sauce geben. Die Sauce mit Salz, Pfeffer und Senf abschmecken. Vom Herd nehmen und mit der sauren Sahne verfeinern.

3 Für die weiße Grundsauce die Butter in einem Topf schmelzen lassen. Das Mehl einrühren und etwas anschwitzen. Mit der Milch ablöschen und unter Rühren aufkochen lassen. Die Sauce mit Salz, Pfeffer und Muskat abschmecken.

Kresse-Sauce
Sauerampfer-Sauce

1 Den Spargel von oben nach unten großzügig schälen und die holzigen Enden abschneiden. Etwa 3 Liter Wasser mit Salz, Zucker und Butter zum Kochen bringen und den Spargel darin bei milder Hitze etwa 15–20 Minuten garen.

2 Inzwischen für die Kresse-Sauce die Butter in einem Topf schmelzen lassen und die Mandeln darin kurz anschwitzen. Mit dem Spargelsud ablöschen und unter Rühren aufkochen lassen. Die Sauce mit Salz, Pfeffer und Muskat abschmecken. Die Kresse waschen, trockenschütteln, vom Beet schneiden und mit der Crème fraîche unter die Sauce heben.

3 Für die Sauerampfersauce den Sauerampfer putzen, waschen, trocknen und in kochendem Salzwasser 1–2 Minuten blanchieren. Herausheben, abschrecken, abtropfen lassen und im Mixer fein pürieren. Die Butter in einem Topf schmelzen, das Mehl einrühren und kurz anschwitzen lassen. Mit der Milch ablöschen und unter Rühren aufkochen lassen. Das Sauerampferpüree zugeben und die Sauce mit Salz, Pfeffer, Muskat und Zucker abschmecken. Die Sahne steif schlagen. Die Sauce vom Herd nehmen und die Sahne unterheben.

ZUTATEN FÜR 4 PERSONEN

2 kg weißer Spargel
1 TL Salz, 1 Prise Zucker
1/2 TL Butter
Für die Kresse-Sauce (Sauce 1):
1 EL Butter
50 g gemahlene Mandeln
200 ml Spargelsud
Salz, Pfeffer, Muskatnuss
1 Beet Kresse, 125 g Crème fraîche
Für die Sauerampfer-Sauce (Sauce 2):
150 g Sauerampfer, Salz
1 EL Butter, 1 TL Mehl
250 ml Milch
Pfeffer, Muskatnuss, Zucker
150 ml süße Sahne

Zubereitungszeit gesamt ca. 35 Min.
Sauce 1 ca. 10 Min., Sauce 2 ca. 15 Min.
Pro Portion ca. 430 kcal / 1806 kJ
E 18 g, F 32 g, KH 17 g

Sauce Hollandaise
Sauce Béarnaise

1 Den Spargel von oben nach unten großzügig schälen und die holzigen Enden abschneiden. Etwa 3 Liter Wasser mit Salz, Zucker und Butter zum Kochen bringen und den Spargel darin bei milder Hitze etwa 15–20 Minuten garen.

2 Inzwischen für die Hollandaise die Butter in einem Topf schmelzen lassen. Die Eigelbe mit dem Weißwein im heißen Wasserbad schaumig schlagen. Die flüssige Butter langsam unter Rühren dazugeben. Mit Salz, Pfeffer und Zitronensaft würzen.

3 Für die Béarnaise die Schalotte schälen und in feine Würfel schneiden. Den Estragon waschen, trockenschütteln und bis auf 1 Zweig fein hacken. Die Pfefferkörner zurdrücken, zusammen mit dem Essig, 3 Esslöffeln Wein, 2 Eslöffeln Wasser und und dem restlichen Zweig Estragon in einen Topf geben und etwa 4–5 Minuten köcheln lassen. Das Ganze durchsieben und die Flüssigkeit dabei auffangen. Die Butter in einem Topf schmelzen lassen. Die Eigelbe mit der aufgefangenen Flüssigkeit und dem restlichen Weißwein im heißen Wasserbad schaumig schlagen. Die flüssige Butter unter Rühren dazugeben und mit Salz, Pfeffer und Worcestershiresauce abschmecken. Den gehackten Estragon zur Sauce geben.

ZUTATEN FÜR 4 PERSONEN

2 kg weißer Spargel
1 TL Salz
1 Prise Zucker
1/2 TL Butter

Für die Hollandaise (Sauce 1):
200 g Butter
2 Eigelb
125 ml Weißwein
Salz
Pfeffer
1 EL Zitronensaft

Für die Béarnaise (Sauce 2):
1 Schalotte
1/2 Bund Estragon
6 weiße Pfefferkörner
1 EL Weißweinessig
185 ml Weißwein
200 g Butter
2 Eigelb
Salz
Pfeffer
Worcestershiresauce

Zubereitungszeit gesamt ca. 40 Min.
Sauce 1 ca. 15 Min., Sauce 2 ca. 20 Min.
Pro Portion ca. 948 kcal / 3980 kJ
E 14 g, F 91 g, KH 13 g

Linsen-Vinaigrette
Linsen-Avocado-Sauce

ZUTATEN FÜR 4 PERSONEN

2 kg grüner Spargel, 1 TL Salz
1 Prise Zucker, 1/2 TL Butter
Für die Linsen-Vinaigrette (Sauce 1):
40 g rote Linsen, Salz
1/2 EL Korianderkörner
5 Wacholderbeeren
4 EL Zitronensaft, Pfeffer
6 EL Kürbiskernöl
Zucker, Senf, 1 Bund Kerbel
Für die Linsen-Avocado-Sauce (Sauce 2):
75 g rote Linsen, 1 Avocado
1 EL Olivenöl
250 ml Gemüsebrühe (Instant)
1 TL Pesto (a. d. Glas)
Salz, Pfeffer, Zitronensaft

Zubereitungszeit gesamt ca. 45 Min.
Sauce 1 ca. 15 Min., Sauce 2 ca. 30 Min.
Pro Portion ca. 400 kcal / 1680 kJ
E 18 g, F 25 g, KH 26 g

1 Den Spargel, nur am unteren Drittel, von oben nach unten schälen und die holzigen Enden abschneiden. Etwa 3 Liter Wasser mit Salz, Zucker und Butter zum Kochen bringen und den Spargel darin bei milder Hitze etwa 10–15 Minuten garen.

2 Inzwischen für die Vinaigrette die Linsen in kochendem Salzwasser etwa 7 Minuten kochen. Abgießen, abtropfen und abkühlen lassen. Korianderkörner und Wacholderbeeren im Mörser fein zerstoßen und mit Zitronensaft, Salz und Pfeffer verrühren. Das Öl langsam unterrühren. Die Linsen unterheben und die Vinaigrette mit Salz, Pfeffer, Zucker und Senf abschmecken. Den Kerbel waschen, trockenschütteln, fein hacken und unter die Vinaigrette rühren.

3 Für die Linsen-Avocado-Sauce die Linsen waschen und abtrocknen. Die Avocado halbieren, den Kern entfernen, die Frucht schälen und in Würfel schneiden. Das Olivenöl erhitzen, die Linsen und Avocadowürfel darin kurz andünsten. Die Gemüsebrühe angießen und etwa 20 Minuten quellen lassen. Das Avocadofleisch und die Linsen anschließend mit einer Gabel etwas zerdrücken und die Sauce mit Pesto, Salz, Pfeffer und Zitronensaft abschmecken.

Estragon-Sauce
Schnittlauch-Sauce

1 Den Spargel von oben nach unten großzügig schälen und die holzigen Enden abschneiden. Etwa 3 Liter Wasser mit Salz, Zucker und Butter zum Kochen bringen und den Spargel darin bei milder Hitze etwa 15–20 Minuten garen.

2 Inzwischen für die Estragon-Sauce die Schalotte schälen und in feine Würfel schneiden. Zusammen mit dem Wein in einen Topf geben und etwa 5 Minuten köcheln lassen. Das Ganze durchsieben und mit Salz, Pfeffer und Estragon würzen. Die Butter löffelweise dazugeben und unterschlagen.

3 Für die Schnittlauch-Sauce die Butter in einem Topf erhitzen und das Mehl einrühren. Etwas anschwitzen lassen und mit dem Spargelsud, der Milch und dem Weißwein ablöschen. Unter Rühren aufkochen lassen und die Sauce mit Salz abschmecken. Den Schnittlauch waschen, trockenschütteln und in feine Röllchen schneiden. Unter die Sauce mischen.

ZUTATEN FÜR 4 PERSONEN

2 kg weißer Spargel
1 TL Salz, 1 Prise Zucker
1/2 TL Butter
Für die Estragon-Sauce (Sauce 1):
1 Schalotte, 400 ml Weißwein,
Salz, Pfeffer, 1 EL getr. Estragon
75 g kalte Butter
Für die Schnittlauch-Sauce (Sauce 2):
2 EL Butter, 3 EL Mehl
100 ml Spargelsud, 400 ml Milch
2 EL Weißwein, Salz
1 Bund Schnittlauch

Zubereitungszeit gesamt ca. 30 Min.
Sauce 1 ca. 15 Min., Sauce 2 ca. 15 Min.
Pro Portion ca. 378 kcal / 1586 kJ
E 14 g, F 20 g, KH 20 g

Béchamel-Sauce
Joghurt-Minze-Sauce

ZUTATEN FÜR 4 PERSONEN

2 kg grüner Spargel, 1 TL Salz
1 Prise Zucker, 1/2 TL Butter
Für die Béchamel-Sauce (Sauce 1):
1 Zwiebel
75 g Schinkenspeck, 1 EL Butter
2 TL geriebene Zitronenschale
1 Zweig Petersilie, 1 Lorbeerblatt
3 Pfefferkörner, 200 ml Milch
1 EL Saucenbinder
Salz, Muskatnuss
Für die Joghurt-Minze-Sauce (Sauce 2):
je 1 Schalotte und Knoblauchzehe
1 EL Olivenöl
1 TL frisch geriebener Ingwer
100 ml Zitronensaft
300 ml Gemüsebrühe (Instant)
1 Msp. Kurkuma, Cayennepfeffer
1/2 Bund Minze, 3 EL Saucenbinder
2 1/2 EL Vollmilch-Joghurt

Zubereitungszeit gesamt ca. 40 Min.
Sauce 1 ca. 35 Min., Sauce 2 ca. 25 Min.
Pro Portion ca. 185 kcal / 776 kJ
E 16 g, F 5 g, KH 17 g

1 Den Spargel, nur am unteren Drittel, von oben nach unten schälen und die holzigen Enden abschneiden. Etwa 2–3 Liter Wasser mit Salz, Zucker und Butter zum Kochen bringen und den Spargel darin bei milder Hitze etwa 10–15 Minuten garen.

2 Inzwischen für die Béchamel-Sauce die Zwiebel schälen und in Würfel schneiden. Den Speck in kleine Würfel schneiden. Die Butter in einem Topf erhitzen und beides etwa 3–5 Minuten darin anschwitzen. Die Zitronenschale und den gewaschenen Petersilienzweig dazugeben und etwa 2–3 Minuten andünsten. Das Lorbeerblatt und die Pfefferkörner dazugeben und mit der Milch ablöschen. Bei milder Hitze etwa 15 Minuten köcheln lassen. Durchsieben und den Fond mit dem Saucenbinder andicken. Die Sauce mit Salz und Muskat würzen.

3 Für die Joghurt-Minze-Sauce die Schalotte und die Knoblauchzehe schälen und in feine Würfel schneiden. Das Öl erhitzen und beides mit dem Ingwer etwa 2–3 Minuten darin andünsten. Mit dem Zitronensaft und der Gemüsebrühe ablöschen und bei milder Hitze etwa 15 Minuten einkochen lassen. Mit Salz, Kurkuma und Cayennepfeffer würzen. Die Minze waschen, trockenschütteln und fein schneiden. Zur Sauce geben und mit dem Saucenbinder andicken. Vom Herd nehmen und den Joghurt unterrühren.

Malteser-Sauce
Gorgonzola-Sauce

1 Den Spargel, nur am unteren Drittel, von oben nach unten schälen und die holzigen Enden abschneiden. Etwa 3 Liter Wasser mit Salz, Zucker und Butter zum Kochen bringen und den Spargel darin bei milder Hitze etwa 10–15 Minuten garen.

2 Inzwischen für die Gorgonzola-Sauce den Wein bei milder Hitze etwa 10 Minuten einkochen lassen. Die Sahne dazugeben und die Butter stückchenweise unterschlagen. Die Sauce mit Salz und Pfeffer würzen und den Gorgonzola langsam darin schmelzen lassen.

3 Für die Malteser-Sauce die Butter in einem Topf schmelzen lassen. Die Eigelbe mit dem Wein im heißen Wasserbad schaumig schlagen. Die flüssige Butter unter Rühren dazugeben. Den Spargelsud unterrühren und die Sauce mit dem Zitronensaft, dem Orangensaft, der Orangenschale, Salz und Pfeffer abschmecken.

ZUTATEN FÜR 4 PERSONEN

2 kg grüner Spargel
1 TL Salz, 1 Prise Zucker
1/2 TL Butter
Für die Gorgonzola-Sauce (Sauce 1):
150 ml Weißwein
250 ml süße Sahne, 3 EL Butter
Salz, Pfeffer, 75 g Gorgonzola
Für die Malteser-Sauce (Sauce 2):
150 g Butter, 2 Eigelb
125 ml Weißwein
100 ml Spargelsud
1 EL Zitronensaft, 2 EL Orangensaft
2 TL geriebene Orangenschale
Salz, Pfeffer

Zubereitungszeit gesamt ca. 35 Min.
Sauce 1 ca. 15 Min., Sauce 2 ca. 15 Min.
Pro Portion ca. 688 kcal / 2888 kJ
E 17 g, F 60 g, KH 14 g

Joghurt-Sauce Tomaten-Sauce

ZUTATEN FÜR 4 PERSONEN

2 kg grüner Spargel
1 TL Salz
1 Prise Zucker
1/2 TL Butter

Für die Joghurt-Sauce (Sauce 1):
250 g Vollmilch-Joghurt
2 EL Zitronensaft
Salz, Pfeffer
2 Knoblauchzehen
1 Bund Petersilie

Für die Tomaten-Sauce (Sauce 2):
2 Fleischtomaten
2 Zwiebeln
125 ml Olivenöl
3 EL Balsamico-Essig
Salz, Pfeffer

Zubereitungszeit gesamt ca. 30 Min.
Sauce 1 ca. 10 Min., Sauce 2 ca. 10 Min.
Pro Portion ca. 413 kcal / 1735 kJ
E 13 g, F 33 g, KH 16 g

1 Den Spargel, nur am unteren Drittel, von oben nach unten schälen und die holzigen Enden abschneiden. Etwa 3 Liter Wasser mit Salz, Zucker und Butter zum Kochen bringen und den Spargel darin bei milder Hitze etwa 10–15 Minuten garen.

2 Inzwischen für die Joghurt-Sauce den Joghurt mit dem Zitronensaft, Salz und Pfeffer glatt rühren. Die Knoblauchzehen schälen und fein hacken. Die Petersilie waschen, trockenschütteln und fein hacken. Beides zur Sauce geben und unterrühren.

3 Für die Tomaten-Sauce die Tomaten kreuzweise einritzen, mit kochendem Wasser überbrühen, kalt abschrecken, gut abtropfen lassen und enthäuten. Die Tomaten halbieren, die Stielansätze und Kerne entfernen und das Fruchtfleisch in kleine Würfel schneiden. Die Zwiebeln schälen und in feine Würfel schneiden. Tomatenwürfel, Zwiebel, Öl und Essig mischen und mit Salz und Pfeffer abschmecken.

Eier-Kresse-Sauce Petersilien-Sauce

ZUTATEN FÜR 4 PERSONEN

2 kg weißer Spargel, 1 TL Salz
1 Prise Zucker, 1/2 TL Butter
Für die Eier-Kresse-Sauce (Sauce 1):
3 hart gekochte Eier, 1 Möhre
1 Zwiebel, 1 EL Butter
300 ml Gemüsebrühe (Instant)
100 ml Weißwein
2 EL Saucenbinder
1 Beet Kresse, Salz, Pfeffer
Für die Petersilien-Sauce (Sauce 2):
1 Zwiebel, 200 g Petersilienwurzel
2 Bund glatte Petersilie, 2 EL Butter
250 ml Gemüsebrühe (Instant)
125 ml süße Sahne
Salz, Pfeffer, Muskatnuss

Zubereitungszeit gesamt ca. 40 Min.
Sauce 1 ca. 15 Min., Sauce 2 ca. 15 Min.
Pro Portion ca. 295 kcal / 1239 kJ
E 17 g, F 17 g, KH 15 g

1 Den Spargel von oben nach unten großzügig schälen und die holzigen Enden abschneiden. Etwa 3 Liter Wasser mit Salz, Zucker und Butter zum Kochen bringen und den Spargel darin bei milder Hitze etwa 15–20 Minuten garen.

2 Inzwischen für die Eier-Kresse-Sauce die Eier pellen, die Möhre und die Zwiebel schälen und alles in kleine Würfel schneiden. Die Butter erhitzen und die Möhren- und Zwiebelwürfel darin 2–3 Minuten andünsten. Mit Brühe und Wein ablöschen und etwa 3–5 Minuten köcheln lassen. Die Eiwürfel unterrühren und mit Saucenbinder andicken. Die Kresse waschen, trockenschütteln, vom Beet schneiden und dazugeben. Mit Salz und Pfeffer abschmecken.

3 Für die Petersilien-Sauce die Zwiebel und die Petersilienwurzel schälen und beides in Würfel schneiden. Die Petersilie putzen, waschen, trockenschütteln und grob hacken. Die Butter erhitzen und die Zwiebelwürfel mit der Petersilienwurzel unter Rühren etwa 2–3 Minuten darin andünsten. Petersilie zugeben und mit Gemüsebrühe und Sahne ablöschen. Mit Salz, Pfeffer und Muskat würzen, etwa 5–8 Minuten bei milder Hitze einkochen lassen. Die Sauce pürieren.

Spargel-Vinaigrette Kräuter-Mayonnaise

1 Den Spargel von oben nach unten großzügig schälen und die holzigen Enden abschneiden. Etwa 3 Liter Wasser mit Salz, Zucker und Butter zum Kochen bringen und den Spargel darin bei milder Hitze etwa 15–20 Minuten garen.

2 Inzwischen für die Spargel-Vinaigrette den Spargelsud mit dem Essig und dem Wein verrühren. Mit Salz, Pfeffer und Zucker abschmecken. Das Öl unter Rühren dazugeben. Den Schnittlauch waschen, trockenschütteln und in feine Röllchen schneiden. Unter die Spargel-Vinaigrette rühren.

3 Für die Kräuter-Mayonnaise die Mayonnaise mit der Crème fraîche und der sauren Sahne glatt rühren. Mit Salz und Pfeffer abschmecken. Den Dill waschen, trockenschütteln und fein schneiden. Unter die Kräuter-Mayonnaise rühren.

ZUTATEN FÜR 4 PERSONEN

2 kg weißer Spargel
1 TL Salz, 1 Prise Zucker
1/2 TL Butter
Für die Spargel-Vinaigrette (Sauce 1):
3 EL Spargelsud
2 EL Kräuteressig
3 EL Weißwein
Salz, Pfeffer, Zucker
4 EL Pflanzenöl
1/2 Bund Schnittlauch
Für die Kräuter-Mayonnaise (Sauce 2):
4 EL Mayonnaise
125 g Crème fraîche mit Kräutern
3 EL saure Sahne, Salz, Pfeffer
1 Bund Dill

Zubereitungszeit gesamt ca. 30 Min.
Sauce 1 ca. 10 Min., Sauce 2 ca. 10 Min.
Pro Portion ca. 203 kcal / 854 kJ
E 11 g, F 12 g, KH 12 g

Steinpilz-Butter
Limetten-Sauce

ZUTATEN FÜR 4 PERSONEN

2 kg weißer Spargel
1 TL Salz, 1 Prise Zucker
1/2 TL Butter
Für die Steinpilz-Butter (Sauce 1):
10 g getrocknete Steinpilze
1 Zwiebel
1 Knoblauchzehe
75 g Butter
1/2 Bund Petersilie
Salz, Pfeffer
Für die Limetten-Sauce (Sauce 2):
120 g Butter, 20 g Mehl, 3 Eigelb
Saft und abgeriebene Schale von
2 unbehandelten Limetten
Salz, Pfeffer

Zubereitungszeit gesamt ca. 40 Min.
Sauce 1 ca. 20 Min., Sauce 2 ca. 15 Min.
Pro Portion ca. 538 kcal / 2258 kJ
E 12 g, F 47 g, KH 16 g

1 Den Spargel von oben nach unten großzügig schälen und die holzigen Enden abschneiden. Etwa 3 Liter Wasser mit Salz, Zucker und Butter zum Kochen bringen und den Spargel darin bei milder Hitze etwa 15–20 Minuten garen.

2 Inzwischen für die Pilzbutter die Pilze nach Packungsanleitung einweichen. Die Zwiebel und die Knoblauchzehe schälen und in Würfel schneiden. 1 EL der Butter erhitzen und die Zwiebel- und Knoblauchwürfel darin anschwitzen. Die Pilze in ein Sieb geben und abtropfen lassen. Das Einweichwasser dabei auffangen. Die Pilze klein schneiden und mit dem Einweichwasser zur Zwiebel-Knoblauch-Mischung geben. Die Flüssigkeit bei milder Hitze verdampfen lassen. Die Petersilie waschen, trockenschütteln, fein hacken und zur Sauce geben. Mit Salz und Pfeffer würzen und die restliche Butter unterschlagen.

3 Für die Limetten-Sauce 20 g Butter erhitzen, Mehl einrühren, mit 250 ml Wasser unter Rühren ablöschen und aufkochen lassen. Die Eigelbe und Limettensaft verrühren. Die Sauce vom Herd nehmen. Die Eigelbmischung mit etwas Sauce an- und dann vorsichtig unterrühren. Die Limettenschale zugeben und mit Salz und Pfeffer abschmecken. Die restliche Butter stückchenweise unterrühren.

Kerbel-Rahmsauce
Zitronen-Sahnesauce

1 Den Spargel, nur am unteren Drittel, von oben nach unten schälen und die holzigen Enden abschneiden. Etwa 3 Liter Wasser mit Salz, Zucker und Butter zum Kochen bringen und den Spargel darin bei milder Hitze etwa 10–15 Minuten garen.

2 Inzwischen für die Kerbel-Rahmsauce die Schalotte und die Knoblauchzehe schälen und fein hacken. Den Porree putzen, waschen und in Ringe schneiden. Das Öl erhitzen und alles unter Rühren etwa 2–3 Minuten darin andünsten. Mit der Brühe ablöschen und die Pfefferkörner zugeben. Die Sauce etwa 10 Minuten einkochen lassen. Den Kerbel waschen, trockenschütteln, die Blättchen abzupfen und mit den Kapern zur Sauce geben. Die Sauce vom Herd nehmen, den Schmand unterziehen, mit Salz und Pfeffer abschmecken.

3 Für die Zitronen-Sahnesauce den Wein bei mittlerer Hitze zur Hälfte einkochen lassen. Die Sahne zugeben und aufkochen lassen. Die Butter portionsweise unterschlagen und die Sauce mit Salz, Pfeffer und Zitronensaft abschmecken.

ZUTATEN FÜR 4 PERSONEN

2 kg grüner Spargel, 1 TL Salz
1 Prise Zucker, 1/2 TL Butter
Für die Kerbel-Rahmsauce (Sauce 1):
1 Schalotte, 1 Knoblauchzehe
100 g Porree, 1 EL Olivenöl
400 ml Gemüsebrühe (Instant)
2 TL bunte Pfefferkörner
1/2 Bund Kerbel, 1 EL Kapern
125 g Schmand, Salz, Pfeffer
Für die Zitronen-Sahnesauce (Sauce 2):
150 ml Weißwein
125 ml süße Sahne, 2 EL Butter
Salz, Pfeffer, 3 EL Zitronensaft

Zubereitungszeit gesamt ca. 35 Min.
Sauce 1 ca. 20 Min., Sauce 2 ca. 15 Min.
Pro Portion ca. 325 kcal / 1365 kJ
E 12 g, F 21 g, KH 15 g

Edles vorweg

Salate und Vorspeisen mit Spargel

Pfannkuchen mit Spargel-Kräuterquark

1 Den Spargel vom Kopf aus nach unten schälen, den grünen Spargel nur am unteren Drittel, und die Enden abschneiden. Spargel in Stücke schneiden. Die Möhren schälen, waschen und grob raspeln. Das Mehl und die Milch verrühren und mit Salz und Pfeffer würzen. Die Eier darunter rühren und die geraspelten Möhren darunter heben. 3 Liter Wasser mit 1 Teelöffel Salz, 1 Prise Zucker und Butter zum Kochen bringen und den Spargel darin etwa 20 Minuten garen. In einer Pfanne je 1 Teelöffel Öl erhitzen und aus dem Teig nacheinander 8 dünne Pfannkuchen ausbacken. Im Backofen bei 100 °C warm halten.

2 Den Knoblauch schälen und fein hacken. Die Kräuter waschen, trockenschütteln und fein hacken. Den Quark mit 100 ml Spargelsud glatt rühren. Den Knoblauch und die Kräuter dazugeben und mit Salz und Pfeffer abschmecken.

3 Den Spargel aus dem Sud nehmen und auf einem Küchentuch abtropfen lassen. Den Spargel vorsichtig unter den Kräuterquark heben, auf den Pfannkuchen verteilen und einrollen. Die Pfannkuchen auf Tellern anrichten, mit Pinienkernen bestreuen und sofort servieren.

ZUTATEN FÜR 4 PERSONEN

750 g weißer Spargel
750 g grüner Spargel
250 g Möhren
150 g Mehl
100 ml Milch
Salz
Pfeffer
4 Eier
Zucker
1/2 TL Butter
8 TL Pflanzenöl
2 Knoblauchzehen
2 Bund Basilikum
2 Bund Petersilie
500 g Sahnequark
50 g Pinienkerne

Zubereitungszeit ca. 30 Min.
Pro Portion ca. 505 kcal / 2121 kJ
E 33 g, F 22 g, KH 44 g

Fruchtiger Spargelsalat

ZUTATEN FÜR 4 PERSONEN

500 g weißer Spargel
1/2 TL Salz
1 Prise Zucker
1/2 TL Butter
125 g frische Erdbeeren
2 Scheiben Ananas (a. d. Dose)
2 Pfirsichhälften (a. d. Dose)
8 Salatblätter
200 g Crème fraîche
3 EL süße Sahne
1 EL Ananassaft
1 EL Pfirsichsaft
1 EL Spargelsud
1 EL Erdbeerlikör

Zubereitungszeit ca. 30 Min.
Pro Portion ca. 216 kcal / 908 kJ
E 4 g, F 18 g, KH 9 g

1 Den Spargel vom Kopf aus nach unten schälen, die Enden abschneiden und den Spargel in Stücke schneiden. 1 Liter Wasser mit Salz, Zucker und Butter zum Kochen bringen. Den Spargel darin etwa 15 Minuten garen, vorsichtig herausnehmen, auf einem Küchentuch abtropfen und auskühlen lassen.

2 Die Erdbeeren waschen, gut abtropfen lassen, entstielen und in Viertel schneiden. Die Ananas und die Pfirsiche in Stücke schneiden. Den Salat waschen und trockenschütteln. Das Obst mit dem ausgekühltem Spargel vorsichtig mischen und auf mit den Salatblättern ausgelegten Teller anrichten.

3 Die Crème fraîche mit der Sahne, dem Fruchtsaft und dem Spargelsud verrühren und mit dem Erdbeerlikör abschmecken. Die Creme auf dem Salat verteilen und servieren.

Rot-grüner Spargelsalat

1 Den Spargel nur am unteren Drittel, von oben nach unten schälen, die Enden abschneiden und den Spargel in Stücke schneiden. 1 Liter Wasser mit 1/2 Teelöffel Salz, 1 Prise Zucker und Butter zum Kochen bringen. Den Spargel darin etwa 15 Minuten garen, vorsichtig herausnehmen, auf einem Küchentuch abtropfen und auskühlen lassen.

2 Die Tomaten waschen, abtrocknen, den Stielansatz entfernen und die Tomaten in Scheiben schneiden. Den Spargel mit den Tomaten auf Tellern anrichten.

3 Den Essig und 250 ml Wasser miteinander verrühren und mit Salz und Zucker würzen. Das Öl darunter schlagen und die Vinaigrette über dem Gemüse verteilen. Die Kräuter waschen, trockenschütteln, fein hacken, über den Salat streuen und den Salat servieren.

ZUTATEN FÜR 4 PERSONEN

500 g grüner Spargel
Salz
Zucker
1/2 TL Butter
500 g Tomaten
2 EL Balsamico-Essig
4 EL Olivenöl
1/2 Bund Petersilie
1/2 Bund Basilikum
1/2 Bund Schnittlauch

Zubereitungszeit ca. 20 Min.
Pro Portion ca. 82 kcal / 344 kJ
E 4 g, F 3 g, KH 9 g

Spargel im Bierteig

ZUTATEN FÜR 4 PERSONEN

500 g weißer Spargel
500 g grüner Spargel
Salz
Zucker
40 g Butter
3 Eier
200 g Mehl
50 ml Bier
50 ml Mineralwasser
Fett zum Frittieren
1/2 Bund Petersilie

Zubereitungszeit ca. 45 Min.
Pro Portion ca. 360 kcal / 1512 kJ
E 16 g, F 14 g, KH 41 g

1 Den Spargel vom Kopf aus nach unten schälen, den grünen Spargel nur am unteren Drittel. Die Enden abschneiden und die Spargelstangen halbieren. 2 Liter Wasser mit 1 Teelöffel Salz, 1 Prise Zucker und 1/2 TL Butter zum Kochen bringen. Den Spargel darin etwa 15 Minuten garen, vorsichtig herausnehmen und auf einem Küchentuch abtropfen lassen.

2 Die restliche Butter in einem Topf schmelzen. Die Eier trennen. Das Mehl, die Eigelbe, die zerlassene Butter, das Bier und das Mineralwasser zu einem Teig verrühren und mit Salz abschmecken. Das Eiweiß steif schlagen und vorsichtig unter den Teig heben.

3 Den Spargel durch den Teig ziehen und in der Fritteuse etwa 2–3 Minuten goldbraun ausbacken. Die Petersilie waschen, trockenschütteln, ebenfalls ganz kurz frittieren und auf Küchenkrepp abtropfen lassen. Den Spargel im Bierteig auf Tellern anrichten und mit der Petersilie garniert servieren.

Marinierter Spargelsalat

1 Den Spargel vom Kopf aus nach unten schälen, die Enden abschneiden und den Spargel in Stücke schneiden. 2 Liter Wasser mit 1 Teelöffel Salz, 1 Prise Zucker und Butter zum Kochen bringen. Den Spargel darin etwa 15 Minuten garen, vorsichtig herausnehmen, auf einem Küchentuch abtropfen und auskühlen lassen. Die Frühlingszwiebeln putzen, waschen und in feine Ringe schneiden.

2 Den Essig und das Mineralwasser verrühren und mit Salz und Pfeffer würzen. Das Öl darunter schlagen. Den Spargel und die Zwiebeln dazugeben. Die Kräuter waschen, trockenschütteln, fein hacken und darüber streuen. Den Spargel 2 Stunden ziehen lassen.

3 Die Salatblätter waschen, trockenschütteln und auf Tellern anrichten. Den marinierten Spargel darauf verteilen. Die Pumpernickel-Scheiben diagonal halbieren, den Salat damit garnieren und servieren.

ZUTATEN FÜR 4 PERSONEN

1 kg weißer Spargel
Salz, Zucker
1/2 TL Butter
4 Frühlingszwiebeln
4 EL Kräuteressig
4 EL Mineralwasser
Pfeffer
4 EL Sonnenblumenöl
1/2 Bund Petersilie
8 Salatblätter
4 Scheiben Pumpernickel

Zubereitungszeit ca. 20 Min.
(plus ca. 2 Std. Wartezeit)
Pro Portion ca. 177 kcal / 742 kJ
E 8 g, F 5 g, KH 23 g

Spargel-Blätterteig-Taschen

ZUTATEN FÜR 4 PERSONEN

4 Scheiben Blätterteig (TK)
500 g frische Spargelspitzen
Salz
Zucker
1/2 TL Butter
1 Bund Petersilie
50 g roher Schinken
50 g geriebener Parmesan
weißer Pfeffer
1 Ei
Mehl für die Arbeitsfläche

1 Die Blätterteigplatten zum Auftauen nebeneinander auf eine Arbeitsfläche legen. Inzwischen die Spargelspitzen waschen. 1 Liter Wasser mit 1/2 Teelöffel Salz, 1 Prise Zucker und Butter zum Kochen bringen. Den Spargel darin etwa 8 Minuten garen, vorsichtig herausnehmen und auf einem Küchentuch abtropfen lassen. Die Petersilie waschen, trockenschütteln und fein hacken. Den Schinken klein schneiden. Käse, Schinken und Petersilie vermischen und mit Salz und Pfeffer abschmecken.

2 Die Teigplatten 3 mm dünn ausrollen und in 8 gleich große Quadrate schneiden. Den Spargel und die Käse-Schinken-Mischung darauf verteilen. Das Ei trennen, die Teigänder mit Eiweiß bestreichen, zusammenklappen und fest andrücken. Die Teigtaschen auf ein bemehltes Brett setzen und mit dem Eigelb bestreichen. Die Spargel-Taschen 10 Minuten kalt stellen.

3 Den Backofen vorheizen (E-Herd: 220 °C / Umluft: 200 °C / Gas: Stufe 4). Das Backblech mit kaltem Wasser abspülen, die Teigtaschen darauf setzen und auf der mittleren Einschubleiste etwa 20 Minuten goldbraun backen. Aus dem Ofen nehmen, auf Tellern anrichten und noch warm servieren.

Zubereitungszeit ca. 40 Min.
(plus ca. 10 Min. Wartezeit)
Pro Portion ca. 513 kcal / 2153 kJ
E 13 g, F 38 g, KH 31 g

Spargel-Carpaccio

ZUTATEN FÜR 4 PERSONEN

4 dicke Stangen weißer Spargel
2 EL Zitronensaft
Salz
Pfeffer
4 EL Haselnussöl
50 g hauchdünn geschnittenen Schinken (z.B. Bresaola)
1 Bett Kresse
bunter Pfeffer aus der Mühle

1 Den Spargel vom Kopf aus nach unten schälen, die Enden abschneiden und den Spargel in 2 mm dünne Scheiben schneiden. Den Zitronensaft, Salz und Pfeffer verrühren, das Öl darunter schlagen. Die Marinade über den Spargel träufeln und etwa 10 Minuten ziehen lassen.

2 Die hauchdünnen Schinkenscheiben locker gerafft auf Tellern anrichten und anschließend die marinierten Spargelscheiben darauf verteilen.

3 Die Kresse waschen, trockenschütteln, 25 g vom Beet schneiden und auf dem Spargel-Carpaccio anrichten. Bunten Pfeffer aus der Mühle darüber mahlen und sofort servieren.

Zubereitungszeit ca. 20 Min.
Pro Portion ca. 72 kcal / 303 kJ
E 9 g, F 1 g, KH 6 g

Spargelsalat mit Garnelen

1 Den Spargel nur am unteren Drittel schälen, die Enden abschneiden und die Stangen in Stücke schneiden. 2 Liter Wasser mit 1 Teelöffel Salz, 1 Prise Zucker und Butter zum Kochen bringen. Den Spargel darin etwa 15 Minuten garen, vorsichtig herausnehmen, auf einem Küchentuch abtropfen und auskühlen lassen.

2 Die Grapefruit und die Orange so schälen, dass die weiße Haut mit entfernt wird. Die Filets zwischen den Trennhäuten herauslösen und in kleine Stücke schneiden. Die Schalotten schälen und fein hacken.

3 Den Essig mit Salz, Pfeffer und Chayennepfeffer verrühren und die Schalotten untermischen. Zuletzt das Öl darunter schlagen. Den Spargel, das Obst und die Garnelen in der Marinade wenden. Auf Tellern anrichten und servieren.

ZUTATEN FÜR 4 PERSONEN

1 kg grüner Spargel
Salz
Zucker
1/2 TL Butter
1 rosa Grapefruit
1 Orange
2 Schalotten
3 EL Balsamico-Essig
weißer Pfeffer
Cayennepfeffer
4 EL Sojaöl
150 g Garnelen, gegart und geschält

Zubereitungszeit ca. 30 Min.
Pro Portion ca. 137 kcal / 576 kJ
E 13 g, F 3 g, KH 12 g

Spargel mit Erdbeeren

ZUTATEN FÜR 4 PERSONEN

750 g weißer Spargel
Salz
Zucker
1/2 TL Butter
125 g Erdbeeren
8 EL Crème fraîche
4 EL süße Sahne
Saft 1/2 Zitrone
Pfeffer
8 Salatblätter
1 EL gehackte Pistazien

Zubereitungszeit ca. 15 Min.
Pro Portion ca. 91 kcal / 380 kJ
E 4 g, F 5 g, KH 6 g

1 Den Spargel vom Kopf aus nach unten schälen, die Enden abschneiden und den Spargel in etwa 2 cm lange Stücke schneiden. 1 1/2 Liter Wasser mit 1/2 Teelöffel Salz, 1 Prise Zucker und Butter zum Kochen bringen. Den Spargel darin etwa 5 Minuten garen, vorsichtig herausnehmen, auf einem Küchentuch abtropfen und auskühlen lassen. Die Erdbeeren waschen, gut abtropfen lassen, entstielen und vierteln.

2 Die Crème fraîche und die Sahne verrühren. Den Zitronensaft dazugeben, glatt rühren und mit Salz, Pfeffer und Zucker alles würzig abschmecken.

3 Die Salatblätter waschen, trockenschütteln und auf Tellern anrichten. Den Spargel und die Erdbeeren darauf verteilen. Die Sauce darüber gießen und mit den gehackten Pistazien bestreut servieren.

Spargel an Orangenfilets

1 Den Spargel vom Kopf aus nach unten schälen, die Enden abschneiden und die Stangen der Länge nach in hauchdünne Streifen schneiden. Den Spargel auf 4 Teller legen und mit 2 Esslöffeln Zitronensaft beträufeln.

2 Die Orangen so schälen, dass die weiße Haut mit entfernt wird. Die Filets zwischen den Trennhäuten herauslösen und auf dem Spargel anrichten. Den Rucola putzen, waschen und trockenschütteln.

3 Die Crème fraîche, den Joghurt, den Estragon-Essig, das Traubenkernöl und den Orangensaft verrühren. Das Dressing mit Salz und Pfeffer abschmecken, auf den Spargel geben und alles mit dem Rucola garnieren.

ZUTATEN FÜR 4 PERSONEN

400 g weißer Spargel
4 EL Zitronensaft
4 Orangen
1 Bund Rucola
4 EL Crème fraîche
2 EL Vollmilch-Joghurt
2 EL Estragon-Essig
4 EL Traubenkernöl
6 EL frisch gepresster Orangensaft
Salz
Pfeffer

Zubereitungszeit ca. 20 Min.
Pro Portion ca. 135 kcal / 567 kJ
E 5 g, F 5 g, KH 16 g

Spargelkuchen mit Räucherlachs

1 Das Mehl, 125 g Butter, 1 Ei und 1/2 Teelöffel Salz mit den Knethaken des Handrührgerätes zu einem Teig verarbeiten. Den Teig zugedeckt 30 Minuten kalt stellen. Inzwischen den Spargel vom Kopf aus nach unten schälen, die Enden abschneiden und die Stangen in Stücke schneiden. 1 Liter Wasser mit 1/2 Teelöffel Salz, 1 Prise Zucker und restlicher Butter zum Kochen bringen. Den Spargel darin etwa 5 Minuten blanchieren, vorsichtig herausnehmen, auf einem Sieb abtropfen und auskühlen lassen. Den Lachs in feine Streifen schneiden.

2 Den Frischkäse mit der Crème fraîche, den restlichen Eiern und den gefrorenen Kräutern glatt rühren. Die Mischung mit Salz, Pfeffer und Muskat würzen. Den Backofen (E-Herd: 200 °C / Umluft: 175 °C / Gas: Stufe 3) vorheizen.

3 Eine Springform (26 cm Ø) einfetten. Den Teig ausrollen und so in die Form legen, dass ein 3 cm hoher Rand entsteht. Den Spargel und den Lachs darauf verteilen und mit der Frischkäse-Mischung bedecken. Den Kuchen auf der mittleren Schiene etwa 40 Minuten backen. Aus dem Ofen nehmen und etwas auskühlen lassen. Den Spargelkuchen aus der Springform nehmen und in Stücke schneiden. Auf Tellern anrichten und servieren.

ZUTATEN FÜR 4 PERSONEN

250 g Mehl
135 g Butter
3 Eier
Salz
500 g weißer Spargel
Zucker
150 g Räucherlachs
400 g Rahm-Frischkäse
150 g Crème fraîche
20 g 8-Kräutermischung (TK)
Pfeffer
Muskatnuss
Fett für die Form

Zubereitungszeit ca. 35 Min.
(plus ca. 40 Min. zum Backen)
Pro Portion ca. 1038 kcal / 4358 kJ
E 35 g, F 77 g, KH 52 g

Verführerisch kombiniert

Spargel mit Fleisch und Geflügel

Kalbfleisch-Pastetchen

ZUTATEN FÜR 4 PERSONEN

500 g weißer Spargel
Salz
Zucker
60 g Butter
250 g gekochtes Kalbfleisch
100 g Möhren (TK)
100 g Erbsen (TK)
4 Blätterteig-Pasteten
3 Frühlingszwiebeln
3 EL Mehl
500 ml Spargelsud, 2 Eigelb
50 ml süße Sahne
1 TL Weißwein,1 EL Zitronensaft
Worcestershiresauce, Pfeffer

Zubereitungszeit ca. 35 Min.
Pro Portion ca. 695 kcal / 2919 kJ
E 24 g, F 51 g, KH 37 g

1 Den Backofen (E-Herd: 100 °C / Umluft: 75 °C / Gas: Stufe 1) vorheizen. Den Spargel schälen, die Enden ab- und den Spargel in Stücke schneiden. 1 Liter Wasser mit 1/2 Teelöffel Salz, 1 Prise Zucker und 10 g Butter zum Kochen bringen. Den Spargel etwa 15 Minuten darin garen, herausnehmen, abtropfen lassen. Das Fleisch würfeln. Die Möhren und die Erbsen in 1/2 Liter Salzwasser 10 Minuten kochen und abgießen. Die Pasteten im Backofen erwärmen.

2 Die Frühlingszwiebeln putzen, waschen und in dünne Ringe schneiden. Die restliche Butter in einem Topf erhitzen, die Zwiebeln etwa 5 Minuten darin andünsten, das Mehl zufügen, glatt rühren und kurz anschwitzen. Mit dem Spargelsud ablöschen und kurz aufkochen lassen. Den Topf vom Herd nehmen. Eigelb und Sahne verrühren und vorsichtig unter die Sauce ziehen. Mit dem Wein, dem Zitronensaft, Worcestershiresauce, Salz und Pfeffer abschmecken.

3 Das Fleisch und das Gemüse in die Sauce geben und heiß werden lassen. Die Pasteten auf Tellern anrichten, mit dem Kalbfleisch-Ragoût füllen und servieren.

Bunter Spargel-Eintopf

1 Den Porree putzen, waschen und in Ringe schneiden. Die Kartoffeln schälen, waschen und würfeln. Den Spargel und die Möhren schälen, die Enden abschneiden und beide Gemüse in Stücke schneiden.

2 Die Butter in einem Topf erhitzen und den Porree darin bei schwacher Hitze andünsten. Das vorbereitete Gemüse und die Erbsen dazugeben. Die Gemüsebrühe angießen und bei mittlerer Hitze etwa 15 Minuten kochen. Das Brötchen in Wasser einweichen. Die Zwiebel schälen und in feine Würfel schneiden.

3 Das Hackfleisch mit dem Ei, den Zwiebelwürfeln und dem ausgedrücktem Brötchen vermengen, mit Salz und Pfeffer abschmecken. Den Fleischteig zu kleinen Bällchen formen und im Eintopf etwa 15 Minuten gar ziehen lassen. Die Petersile waschen, trockenschütteln und fein hacken. Den Spargeleintopf in vorgewärmte Suppenteller geben und mit gehackter Petersilie garniert servieren.

ZUTATEN FÜR 4 PERSONEN

1 Stange Porree
500 g Kartoffeln
500 g weißer Spargel
300 g Möhren
50 g Butter
250 g Erbsen (TK)
1 1/2 l Gemüsebrühe (Instant)
1 Brötchen
1 Zwiebel
250 g gemischtes Hackfleisch
1 Ei
Salz
Pfeffer
1/2 Bund Petersilie

Zubereitungszeit ca. 40 Min.
Pro Portion ca. 478 kcal / 2006 kJ
E 26 g, F 24 g, KH 38 g

Spargel-Auflauf „à la swisse“

ZUTATEN FÜR 4 PERSONEN

20 g Butter
1 kg weißer Spargel
Salz, Zucker
600 g Pellkartoffeln
250 g gekochter Schinken
je 25 g Margarine und Mehl
250 ml Spargelsud
125 ml Weißwein
50 g Schmelzkäse
100 g saure Sahne, Pfeffer
50 g geriebener Emmentaler

Zubereitungszeit ca. 30 Min.
(plus ca. 25–30 Min. zum Backen)
Pro Portion ca. 478 kcal / 2006 kJ
E 27 g, F 23 g, KH 34 g

1 Eine Auflaufform mit 10 g Butter einfetten. Den Spargel vom Kopf aus nach unten schälen, die Enden ab- und die Stangen in Stücke schneiden. 2 Liter Wasser mit 1 Teelöffel Salz, 1 Prise Zucker und 10 g Butter zum Kochen bringen. Den Spargel darin etwa 15 Minuten garen, vorsichtig herausnehmen und abtropfen lassen. Die Kartoffeln in Scheiben und den Schinken in Streifen schneiden.

2 Die Kartoffelscheiben, den Spargel und die Schinkenstreifen schichtweise in die Auflaufform geben. Den Backofen vorheizen (E-Herd: 200 °C / Umluft: 175 °C / Gas: Stufe 3).

3 Die Margarine erhitzen, das Mehl einrühren, anschwitzen, mit Spargelsud und Wein ablöschen und unter Rühren aufkochen lassen. Den Schmelzkäse und die saure Sahne unterrühren und mit Salz und Pfeffer abschmecken. Die Sauce über das Gemüse gießen und den Auflauf mit Emmentaler bestreuen. Auf der mittlerer Einschubleiste etwa 25–30 Minuten backen. Aus dem Ofen nehmen und servieren.

Spargel-Pasta mit Mozzarella

1 Den Spargel am unteren Drittel schälen. Die Enden ab- und die Stangen in Stücke schneiden. Den Mozzarella in einem Sieb abtropfen lassen und in Würfel schneiden. Den Schinken in feine Streifen schneiden.

2 Die Nudeln in 4 Litern kochendem Salzwasser laut Packungsanleitung bissfest kochen. 5 Minuten vor dem Ende der Garzeit den Spargel hinzufügen und mitkochen. In ein Sieb gießen und abtropfen lassen. Das Basilikum waschen, trockenschütteln und, bis auf etwas zum Garnieren, fein hacken.

3 Das Öl mit der Butter in einem Topf erhitzen und den Schinken kurz darin anbraten. Die Spargel-Nudel-Mischung, den Käse und das gehackte Basilikum dazugeben, umrühren und mit Pfeffer abschmecken. Mit den restlichen Basilikumblättern garniert sofort servieren.

ZUTATEN FÜR 4 PERSONEN

1 kg grüner Spargel
250 g Mozzarella
150 g geräucherter Schinken
500 g Nudeln
Salz
1 Bund Basilikum
3 EL Olivenöl
20 g Butter
50 g geriebener Parmesankäse
Pfeffer

Zubereitungszeit ca. 35 Min.
Pro Portion ca. 522 kcal / 2195 kJ
E 35 g, F 25 g, KH 39 g

Spargel & Hähnchenfilet an Limetten-Sauce

1 Die Kartoffeln schälen, waschen und in Salzwasser kochen. Den Spargel vom Kopf aus nach unten schälen und die Enden abschneiden. Das Basilikum waschen, trockenschütteln und die Blätter abzupfen. Einige Blätter beiseite legen. Das Hähnchenbrustfilet waschen und abtrocknen. In das Fleisch eine Tasche schneiden, das Filet mit dem Schinken und den Basilikumblättern füllen, mit einem Zahnstocher schließen und mit Salz und Zitronenpfeffer würzen. Den Backofen vorheizen (E-Herd: 200 °C / Umluft: 175 °C / Gas: Stufe 3).

2 Etwa 2–3 Liter Wasser mit 1 Teelöffel Salz, 1 Prise Zucker und 15 g Butter zum Kochen bringen. Den Spargel etwa 15 Minuten darin garen. Die Hähnchenbrust in dem heißen Öl goldbraun anbraten, in eine feuerfeste Form legen und im Backofen etwa 20 Minuten nachgaren lassen.

3 Inzwischen die Schalotten schälen, würfeln und in der restlichen Butter dünsten. Den Wein angießen und einkochen lassen. Die Geflügelbrühe dazugießen und auf ein Drittel einkochen lassen. Die Sahne zur Sauce geben und noch einmal etwa 2 Minuten kochen lassen. Mit Salz, Limettenschale, Limettensaft, Zucker und Zitronenpfeffer abschmecken. Alles auf Tellern anrichten. Mit etwas Basilikum garnieren und mit rotem Pfeffer bestreut sofort servieren.

ZUTATEN FÜR 4 PERSONEN

1 kg Kartoffeln
Salz
2 kg weißer Spargel
1 Bund Basilikum
4 Hähnchenbrustfilets
(à ca. 125 g)
4 Scheiben Parmaschinken
Zitronenpfeffer
Zucker
40 g Butter
3 EL Öl
2 Schalotten
80 ml Weißwein
200 ml Geflügelbrühe (Instant)
100 ml süße Sahne
1 EL abgeriebene Schale
1 unbehandelte Limette
1 EL Limettensaft
1 TL roter Pfeffer
4 Zahnstocher

Zubereitungszeit ca. 40 Min.
Pro Portion ca. 585 kcal / 2457 kJ
E 59 g, F 14 g, KH 50 g

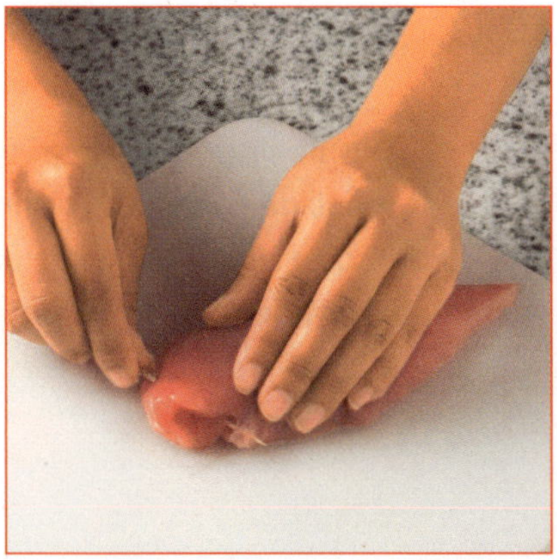

Spargel-Hähnchen-Risotto

ZUTATEN FÜR 4 PERSONEN

500 g grüner Spargel
2 Frühlingszwiebeln
1 Knoblauchzehe
400 g Hähnchenbrustfilet
2 EL Olivenöl
250 g Risotto-Reis
1 l Geflügelfond (a. d. Glas)
1 Bund Basilikum
2 EL Butter
50 g geriebener Parmesankäse
Salz
Pfeffer

Zubereitungszeit ca. 35 Min.
Pro Portion ca. 348 kcal / 1460 kJ
E 29 g, F 18 g, KH 17 g

1 Den Spargel nur am unteren Drittel schälen, die Enden abschneiden und die Stangen in Stücke schneiden. Die Frühlingszwiebeln putzen, waschen und in Ringe schneiden. Die Knoblauchzehe schälen und durchpressen. Das Hähnchenfleisch waschen, abtrocknen und in kleine Würfel schneiden.

2 Das Öl in einem Topf erhitzen, die Frühlingszwiebeln, den Reis und den Knoblauch etwa 1 Minute darin andünsten. Den Fond angießen, den Spargel und das Fleisch dazugeben und aufkochen lassen. Bei schwacher Hitze etwa 20 Minuten garen.

3 Das Basilikum waschen, trockenschütteln und in Streifen schneiden. Die Butter und den Käse vorsichtig unter das Risotto rühren. Mit Salz und Pfeffer abschmecken und mit dem Basilikum bestreut servieren.

Nudeln mit Spargel-Ragoût

1 Den Spargel nur am unteren Drittel schälen, die Enden abschneiden und die Stangen in Stücke schneiden. 1 Liter Wasser mit 1/2 Teelöffel Salz, 1 Prise Zucker und der Butter zum Kochen bringen. Den Spargel darin etwa 10 Minuten garen, vorsichtig abgießen und abtropfen lassen.

2 In einem ausreichend großen Topf 4 Liter Wasser zum Kochen bringen. Das Öl und Salz ins Wasser geben und die Bandnudeln in etwa 8 Minuten bissfest kochen. Den Schinken in Würfel schneiden.

3 Die Sahne in einem Topf aufkochen lassen, das Tomatenmark unterrühren, die Spargelstücke und den Schinken dazugeben. Mit Salz und Pfeffer abschmecken. Die Nudeln abgießen, kurz abschrecken und gut abtropfen lassen. Die Nudeln auf Tellern anrichten, die Sauce darüber gießen und mit Parmesan bestreut servieren.

ZUTATEN FÜR 4 PERSONEN

500 g grüner Spargel
Salz
Zucker
1/2 TL Butter
1 EL Öl
500 g Bandnudeln
200 g gekochter Schinken
200 ml süße Sahne
1 TL Tomatenmark
Pfeffer
50 g geriebener Parmesankäse

Zubereitungszeit ca. 30 Min.
Pro Portion ca. 603 kcal / 2531 kJ
E 33 g, F 13 g, KH 88 g

„Asia"-Spargel mit Lamm

ZUTATEN FÜR 4 PERSONEN

500 g weißer Spargel
500 g grüner Spargel
100 g Butter
4 EL Olivenöl
4 Lammkoteletts (à ca. 60 g)
Salz
Pfeffer
4 EL Sojasauce
1 EL Limettensaft

Zubereitungszeit ca. 25 Min.
Pro Portion ca. 753 kcal / 3161 kJ
E 56 g, F 57 g, KH 5 g

1 Den weißen Spargel vom Kopf aus nach unten schälen, den grünen nur am unteren Drittel, die Enden abschneiden und die Stangen angeschrägt in 5 mm feine Scheiben schneiden. Die Butter in einer Pfanne bei mittlerer Hitze schmelzen, die Spargelscheiben hineinlegen und mit 125 ml Wasser angießen. Zugedeckt etwa 5 Minuten garen.

2 Das Olivenöl in einer Pfanne bei mittlerer Hitze erwärmen. Die Koteletts waschen, abtrocknen und in die Pfanne geben. Von beiden Seiten je 5 Minuten braten und die Lammkoteletts nach Geschmack mit Salz und Pfeffer würzen.

3 Inzwischen die Sojasauce und den Limettensaft zum Spargel geben und die Flüssigkeit bei starker Hitze einkochen. Mit Pfeffer abschmecken. Den Spargel und die Koteletts auf Tellern anrichten und heiß servieren.

Spargel-Safran-Nudeln

1 Den Spargel vom Kopf aus nach unten schälen, die Enden abschneiden. Die Spargelköpfe abschneiden, die Hälfte der Stangen in 3 cm große Stücke, die andere Hälfte in 2 mm dünne Scheiben schneiden. 1 Liter Wasser mit 1/2 Teelöffel Salz, 1 Prise Zucker und der Butter zum Kochen bringen, die großen Spargelstücke darin etwa 15 Minuten garen. Die Spargelköpfe nach 10 Minuten dazugeben. Den Spargel mit einem Schaumlöffel aus dem Sud nehmen.

2 Die Pilze vorsichtig abreiben, putzen und in Scheiben schneiden. Den Schinken in feine Streifen schneiden. Die Petersilie waschen, trockenschütteln und fein hacken. Das Spargelwasser noch einmal zum Kochen bringen. Die Nudeln und die Spargelscheiben darin bissfest kochen, abgießen und gut abtropfen lassen.

3 Die Sahne in einer Pfanne erhitzen, den Safran einrühren und die Pilze kurz mitkochen, bis die Sauce cremig ist. Mit Salz und gekörnter Brühe abschmecken. Die Spargelnudeln, den Spargel und den Käse untermischen. Auf Tellern anrichten und mit der gehackten Petersilie bestreut servieren.

ZUTATEN FÜR 4 PERSONEN

500 g weißer Spargel
Salz
Zucker
1/2 EL Butter
100 g Champignons
100 g Parmaschinken
1 Bund Petersilie
250 g Bandnudeln
200 g süße Sahne
1 Msp. Safran
1 TL gekörnte Gemüsebrühe
50 g geriebener Parmesankäse

Zubereitungszeit ca. 40 Min.
Pro Portion ca. 480 kcal / 2016 kJ
E 21 g, F 23 g, KH 47 g

Spargel mit Putenrouladen

ZUTATEN FÜR 4 PERSONEN

1 kg weißer Spargel
3 Tomaten
400 g Mangold
1 Knoblauchzehe
4 Schalotten
4 EL Butter
Salz
Pfeffer
4 dünne Scheiben Putenbrust (à ca. 100 g)
3 EL Keimöl
Zucker
300 g grüne Nudeln
75 ml Weißwein
75 ml Spargelsud
125 ml süße Sahne
Zitronensaft
Muskatnuss
2 EL gerebelter Estragon
Kräuter zum Garnieren
4 Zahnstocher

Zubereitungszeit ca. 35 Min.
Pro Portion ca. 345 kcal / 1449 kJ
E 23 g, F 12 g, KH 33 g

1 Den Backofen vorheizen (E-Herd: 180 °C / Umluft: 150 °C / Gas: Stufe 2). Den Spargel vom Kopf aus nach unten schälen, die Enden abschneiden. Die Tomaten waschen, von den Stielansätzen befreien und in Würfel schneiden. Den Mangold putzen und den Wurzelansatz abschneiden. Das Gemüse waschen und die Blätter lösen. Den Knoblauch und die Schalotten schälen und in feine Würfel schneiden. Ein Drittel der Schalotten und den Knoblauch in einer Pfanne mit 1 Esslöffel Butter anbraten, den Mangold dazugeben und mit 50 ml Wasser einmal aufkochen lassen. Mit Salz und Pfeffer würzen.

2 Die Fleischscheiben mit der Mangoldmasse bestreichen, aufrollen und mit einem Zahnstocher feststecken. Das Öl in einer Pfanne erhitzen und die Rouladen darin rundherum anbraten. Das Fleisch in eine feuerfeste Form legen und 15 Minuten im Backofen garen. 2 Liter Wasser mit 1 Teelöffel Salz, 1 Prise Zucker und 1/2 Teelöffel Butter zum Kochen bringen und den Spargel darin etwa 15 Minuten garen, danach abgießen. Die Nudeln in 3 Liter Salzwasser nach Packungsanweisung bissfest kochen.

3 Die restlichen Schalotten mit 1 Esslöffel Butter dünsten. Den Wein und den Spargelsud angießen, mit der Sahne auffüllen und aufkochen lassen. Mit Salz, Pfeffer und Zitronensaft abschmecken. Die Nudeln abgießen und mit etwas Butter und Muskat abschmecken. Alles auf Tellern anrichten, den Spargel mit der restlichen Butter bestreichen, mit Estragon und Tomatenwürfeln bestreuen und mit Kräutern dekoriert servieren.

Spargelsalat an Medaillons

ZUTATEN FÜR 4 PERSONEN

500 g weißer Spargel
500 g grüner Spargel
Salz
Zucker
4 EL Weißweinessig
1 Msp. Dijonsenf
Pfeffer
4 EL Traubenkernöl
8 Kalbsmedaillons (à ca. 50 g)
1 EL Butter
1 EL Pflanzenöl

Zubereitungszeit ca. 25 Min.
Pro Portion ca. 365 kcal / 1533 kJ
E 64 g, F 9 g, KH 5 g

1 Den weißen Spargel vom Kopf aus nach unten schälen, den grünen nur am unteren Drittel, die Enden abschneiden und die Stangen in 2 cm große Stücke schneiden. Den Spargel in 2 Liter kochendem Salzwasser mit 1 Prise Zucker etwa 3 Minuten blanchieren und gut abtropfen lassen.

2 Den Essig und den Senf verrühren und mit Salz und Pfeffer abschmecken. Zuletzt das Traubenkernöl darunter schlagen. Die Marinade auf den warmen Spargel geben und den Spargel warm stellen.

3 Das Fleisch waschen, abtrocknen und in einer Öl-Butter-Mischung auf jeder Seite etwa 3 Minuten anbraten. Mit Salz und Pfeffer würzen. Den Spargelsalat auf Teller verteilen und die Medaillons anlegen.

Eingewickelter Spargel

1 Den weißen Spargel vom Kopf aus nach unten schälen, den grünen nur am unteren Drittel, die Enden abschneiden. Die Salbeiblätter waschen und trockentupfen. 3 Liter Salzwasser mit 1 Prise Zucker zum Kochen bringen. Den weißen Spargel etwa 15 Minuten darin kochen, die letzten 8 Minuten den grünen Spargel zugeben und mitgaren.

2 Den Spargel aus dem Sud herausnehmen und gut abtropfen lassen. Die Stangen portionsweise mit je 1 Scheibe Schwarzwälder Schinken umwickeln und mit einem Zahnstocher feststecken.

3 Die Butter in einer Pfanne erhitzen, 7 Salbeiblätter dazugeben und die Spargelpäckchen darin kurz anbraten. Den eingewickelten Spargel auf einer Platte anrichten, mit Parmesan bestreuen und mit Salbei garniert sofort servieren.

ZUTATEN FÜR 4 PERSONEN

1 kg weißer Spargel
1 kg grüner Spargel
15 Salbeiblätter
Salz
Zucker
8 Scheiben Schwarzwälder Schinken
80 g Butter
80 g gehobelter Parmesankäse
Zahnstocher

Zubereitungszeit ca. 30 Min.
Pro Portion ca. 398 kcal / 1670 kJ
E 27 g, F 27 g, KH 11 g

Spargelspitzen auf Kerbel-Püree

ZUTATEN FÜR 4 PERSONEN

1,5 kg weißer Spargel
1,2 kg Kartoffeln
1 Bund Kerbel
Salz
200 ml süße Sahne
80 g Butter
200 g Bauernschinken
(dünn geschnitten)

Zubereitungszeit ca. 45 Min.
Pro Portion ca. 643 kcal / 2700 kJ
E 26 g, F 35 g, KH 54 g

1 Den Spargel vom Kopf aus nach unten schälen, die Enden abschneiden. Die Spargelspitzen abschneiden und zur Seite legen, den Rest klein schneiden. Die Kartoffeln schälen, waschen und klein schneiden. Den Kerbel waschen, trockenschütteln und, bis auf etwas zum Garnieren, hacken. Die Spargelstücke mit den Kartoffeln in Salzwasser etwa 25 Minuten kochen. Die Spargelspitzen in Salzwasser etwa 10 Minuten garen.

2 Die Sahne mit 30 g Butter in einem Topf erwärmen. Die Kartoffel- und die Spargelstücke abgießen. Die Sahne zu beiden in den Topf geben und das Gemüse mit einem Kartoffelstampfer grob zerdrücken. Den gehackten Kerbel unterrühren.

3 Den Schinken in schmale Streifen schneiden und in der restlichen Butter anbraten. Die Spargelspitzen zufügen und anschwenken. Das Kerbel-Püree auf Tellern anrichten, die Schinken-Spargel-Mischung darauf geben und mit Kerbel garniert servieren.

Entenbrust
mit mariniertem Spargel

1 Den Spargel nur am unteren Drittel schälen, die Enden ab- und die Stangen in Stücke schneiden. 2 Liter Wasser mit 1 Teelöffel Salz, 1 Prise Zucker und der Butter zum Kochen bringen. Die Entenbrustfilets waschen, abtrocknen und mit Salz und Pfeffer würzen. 25 ml Öl in einer Pfanne erhitzen und das Fleisch mit der Hautseite zuerst etwa 2 Minuten braten, dann etwa 8 Minuten von beiden Seiten goldbraun braten.

2 Den Spargel im Salzwasser etwa 15 Minuten garen. Die Filets in Alufolie wickeln und warm stellen. Die Orangen so schälen, dass die Haut mit entfernt wird, und in Scheiben schneiden.

3 Den Kerbel waschen, trockenschütteln und fein hacken. Essig, Sherry, Salz und Pfeffer verrühren. Das restliche Öl langsam darunter schlagen und den Kerbel zufügen. Die aufgeschnittenen Filets, Spargel und Orangen auf Tellern anrichten, die Marinade über den warmen Spargel und die Orangen gießen und servieren.

ZUTATEN FÜR 4 PERSONEN

1 kg grüner Spargel
Salz
Zucker
1/2 TL Butter
4 Entenbrustfilets (à ca. 200 g)
Pfeffer
150 ml Olivenöl
4 Orangen
1 Bund Kerbel
3 EL Weinessig
4 EL Sherry
Alufolie

Zubereitungszeit ca. 35 Min.
Pro Portion ca. 675 kcal / 2835 kJ
E 25 g, F 55 g, KH 19 g

Überbackener Spargel mit Pökelzunge

1 Den Spargel vom Kopf aus nach unten schälen und die Enden abschneiden. 3 Liter Wasser mit 1 Teelöffel Salz, 1 Prise Zucker und 1/2 Teelöffel Butter zum Kochen bringen. Den Spargel etwa 15 Minuten darin garen. Vorsichtig herausnehmen, auf einem Küchentuch abtropfen lassen und in eine feuerfeste Form legen. Den Backofen vorheizen (E-Herd: 200 °C / Umluft: 175 °C / Gas: Stufe 3).

2 Die Zunge waschen, abtrocknen und in Streifen schneiden. Die Pilze vorsichtig abreiben und in Scheiben schneiden. Die Tomaten kreuzweise einritzen, kurz in kochendes Wasser tauchen, abschrecken, enthäuten, halbieren, entkernen, die Stielansätze entfernen und das Fruchtfleisch in Streifen schneiden. Das Basilikum waschen, trockenschütteln und in feine Streifen schneiden.

3 Die restliche Butter in einer Pfanne schmelzen lassen. Die Zunge, die Tomaten, die Champignons und das Basilikum zufügen und etwa 5 Minuten dünsten. Den Weichkäse in Würfel schneiden und unterrühren. Mit Salz und Pfeffer abschmecken, auf den Spargel geben und gleichmäßig darüber verteilen. Mit Parmesan bestreuen und auf der mittleren Einschubleiste etwa 20 Minuten goldbraun überbacken. Die Form aus dem Ofen nehmen und sofort servieren.

ZUTATEN FÜR 4 PERSONEN

2 kg weißer Spargel
Salz
Zucker
60 g Butter
200 g Pökelzunge
150 g Champignons
2 Fleischtomaten
1 Bund Basilikum
200 g Weichkäse
Pfeffer
40 g geriebener Parmesankäse

Zubereitungszeit ca. 35 Min.
(plus ca. 20 Min. zum Backen)
Pro Portion ca. 455 kcal / 1911 kJ
E 32 g, F 31 g, KH 12 g

In feiner Begleitung

Spargel mit Fisch und Meeresfrüchten

Rotbarbe im Spargelbett

ZUTATEN FÜR 4 PERSONEN

500 g weißer Spargel
Salz
Zucker
5 EL Butter
1 Bund Frühlingszwiebeln
4 Rotbarbenfilets (à ca. 180 g)
ca. 2 EL Zitronensaft
Pfeffer
5 EL Butter
1 Bund Kerbel
Alufolie

Zubereitungszeit ca. 30 Min.
Pro Portion ca. 196 kcal / 826 kJ
E 30 g, F 7 g, KH 4 g

1 Den Spargel von oben nach unten großzügig schälen, die Enden abschneiden. Den Spargel in etwa 2 cm lange Stücke schneiden. Etwa 1 Liter Wasser mit 1/2 Teelöffel Salz, 1 Prise Zucker und 1/2 Teelöffel Butter zum Kochen bringen und den Spargel etwa 2–3 Minuten darin blanchieren. Herausheben, abschrecken und gut abtropfen lassen. Den Backofen vorheizen (E-Herd: 180 °C / Umluft: 150 °C / Gas: Stufe 2).

2 Die Frühlingszwiebeln putzen, waschen und in feine Ringe schneiden. Die Fischfilets waschen, abtrocknen und mit Zitronensaft beträufeln. Mit Salz und Pfeffer würzen. 4 ausreichend große Stücke Alufolie mit gut 1 Esslöffel Butter einfetten. Den Kerbel waschen, trockenschütteln und die Blättchen abzupfen.

3 Die Frühlingszwiebeln mit dem Spargel mischen und auf den Folienstücken verteilen. Jeweils 1 Fischfilet darauf legen und mit den Kerbelblättchen belegen. Die restliche Butter in Flöckchen darüber verteilen. Die Alufolie über dem Fisch verschließen und auf der mittleren Einschubleiste etwa 20 Minuten garen.

Seezunge auf Spargel-Sauce

1 Den Spargel von oben nach unten großzügig schälen. Das untere holzige Ende der Stangen abschneiden. Den Spargel in etwa 3 cm lange Stücke schneiden. Etwa 1/2 Liter Wasser mit 1/2 Teelöffel Salz, 1 Prise Zucker und 1/2 Teelöffel Butter zum Kochen bringen. Die Spargelstücke darin etwa 10 Minuten kochen. Herausheben, mit kaltem Wasser abschrecken und gut abtropfen lassen. Die Fischfilets waschen, abtrocknen, salzen und mit Zitronensaft beträufeln.

2 Die Möhren schälen und klein schneiden. Den Porree putzen, waschen und klein schneiden. Die Schalotte schälen und in Würfel schneiden. Wein, Spargelsud, Sahne, Möhren, Schalotte und Porree in einen Topf geben und etwa 10 Minuten einkochen. Kerbel und Spargel zur Sauce geben. 2 Esslöffel Butter als Flöckchen unterschlagen und die Sauce mit Salz und Pfeffer würzen.

3 Die restliche Butter mit dem Öl erhitzen, die Filets darin von beiden Seiten je etwa 3–5 Minuten braten. Herausnehmen und auf der Sauce anrichten. Die Limette waschen und in Scheiben schneiden. Den Fisch mit Limettenscheiben garniert servieren.

ZUTATEN FÜR 4 PERSONEN

250 g weißer Spargel
Salz, Zucker, Pfeffer
6 EL kalte Butter
750 g Seezungenfilet
ca. 2 EL Zitronensaft
2 Möhren
1 Stange Porree
1 Schalotte
200 ml Weißwein
250 ml Spargelsud
200 ml süße Sahne
1/2 Bund gehackter Kerbel
1 EL Distelöl
1 unbehandelte Limette

Zubereitungszeit ca. 45 Min.
Pro Portion ca. 468 kcal / 1964 kJ
E 37 g, F 27 g, KH 10 g

Weißer Spargel auf Lachs

ZUTATEN FÜR 4 PERSONEN

1 kg weißer Spargel
Salz
Zucker
1/2 TL Butter
250 g Graved Lachs
2 EL Himbeeressig
1 EL Dijonsenf
1 EL Zitronensaft
Pfeffer
3 EL Kürbiskernöl
1/2 Bund Dill

Zubereitungszeit ca. 25 Min.
Pro Portion ca. 142 kcal / 598 kJ
E 16 g, F 5 g, KH 5 g

1 Den Spargel von oben nach unten großzügig schälen. Das untere holzige Ende der Stangen abschneiden. Den Spargel in etwa 5 cm lange Stücke schneiden. Etwa 2 Liter Wasser mit 1 Teelöffel Salz, 1 Prise Zucker und der Butter zum Kochen bringen. Die Spargelstücke darin etwa 10 Minuten kochen. Herausheben, mit kaltem Wasser abschrecken und gut abtropfen lassen.

2 Den Lachs dachziegelartig auf 4 Teller verteilen. Den Himbeeressig mit dem Senf und dem Zitronensaft verrühren. Mit Salz und Pfeffer abschmecken. Das Kürbiskernöl unter Rühren dazugeben. Den Dill waschen, trockenschütteln, die Fähnchen abzupfen und 4 große Fähnchen beiseite legen, den Rest hacken und in die Marinade rühren.

3 Die abgekühlten Spargelstücke vorsichtig mit der Marinade mischen und eventuell etwas durchziehen lassen. Dann auf den Lachsscheiben anrichten und mit den beiseite gelegten Dillfähnchen garniert servieren.

Lachsforelle an Thaispargel

1 Den Spargel nur am unteren Drittel von oben nach unten schälen. Das untere holzige Ende der Stangen abschneiden. Etwa 2 Liter Wasser mit 1 Teelöffel Salz, 1 Prise Zucker und 1/2 Teelöffel Butter zum Kochen bringen. Die Spargelstangen darin etwa 10 Minuten kochen. Herausheben und gut abtropfen lassen.

2 Die Forellenfilets waschen, abtrocknen und mit Salz und Pfeffer würzen. 1 Esslöffel Butter mit dem Öl erhitzen und die Forellenfilets darin von jeder Seite etwa 3–5 Minuten braten. Die Hollandaise nach Packungsanweisung erhitzen oder nach Rezept zubereiten.

3 Die Petersilie waschen, trockenschütteln und fein hacken. Die Zitrone abwaschen, trockenreiben und in Scheiben schneiden. Den Spargel mit den Lachsforellenfilets und der Sauce auf Tellern anrichten. Mit Zitronenscheiben und Forellenkaviar garnieren und mit Petersilie bestreut servieren.

ZUTATEN FÜR 4 PERSONEN

1 kg grüner Thaispargel
oder normaler grüner Spargel
Salz
Zucker
2 EL Butter
4 Lachsforellenfilets (à ca. 200 g)
Pfeffer
1 EL Öl
1 Packung Sauce Hollandaise (FP)
(oder Rezept S. 15)
1/2 Bund glatte Petersilie
1 unbehandelte Zitrone
75 g Forellenkaviar

Zubereitungszeit ca. 35 Min.
Pro Portion ca. 315 kcal / 1323 kJ
E 45 g, F 10 g, KH 8 g

Lachssteaks mit Spargel und Orangen-Sauce

ZUTATEN FÜR 4 PERSONEN

4 Lachssteaks (à ca. 180 g)
Salz
Pfeffer
2 EL Zitronensaft
1 EL Sojasauce
1 kg weißer Spargel
Zucker
100 g kalte Butter
3 unbehandelte Orangen
100 ml Weißwein
125 ml süße Sahne
1 EL Öl
1 Bund glatte Petersilie
Oregano zum Garnieren

Zubereitungszeit ca. 35 Min.
Pro Portion ca. 458 kcal / 1922 kJ
E 20 g, F 32 g, KH 17 g

1 Die Lachssteaks waschen, abtrocknen und mit Salz, Pfeffer, dem Zitronensaft und der Sojasauce würzen. Bis zur weiteren Verarbeitung ruhen lassen. Den Spargel von oben nach unten großzügig schälen. Das untere holzige Ende der Spargelstangen abschneiden. In einem ausreichend großen Topf 2 Liter Wasser mit 1 Teelöffel Salz, 1 Prise Zucker und 1/2 Teelöffel der Butter zum Kochen bringen. Die Spargelstangen hineingeben und bei milder Hitze etwa 15–20 Minuten garen.

2 Die Orangen waschen und trockenreiben. Die Schale der Orangen mit einem Sparschäler abschälen, etwas zur Garnitur beiseite legen. Die Orangen auspressen und 200 ml Saft abmessen. Den Orangensaft mit dem Weißwein und 75 ml Sahne bei milder Hitze auf die Hälfte einkochen lassen. Die restliche Sahne steif schlagen. 1 Esslöffel der Butter mit dem Öl erhitzen und die Lachssteaks darin von jeder Seite etwa 5–8 Minuten braten.

3 Die restliche Butter flöckchenweise unter die Sauce schlagen, die geschlagene Sahne unterziehen und die Sauce mit Salz und Pfeffer abschmecken. Die Petersilie waschen, trockenschütteln, fein hacken und zur Sauce geben. Die Spargelstangen aus dem Sud herausheben, gut abtropfen lassen und zusammen mit den Lachssteaks auf feuerfesten Tellern anrichten. Mit der Sauce überziehen und unter dem Grill etwa 2–4 Minuten gratinieren. Mit Oregano garniert servieren.

Seeteufel mit Spargel

ZUTATEN FÜR 4 PERSONEN

500 g weißer Spargel
500 g grüner Spargel
Salz
Zucker
100 g kalte Butter
4 Seeteufelfilets (à ca. 180 g)
Zitronenpfeffer
5 EL Zitronensaft
1 EL Öl
1 EL Speisestärke
2 Eigelb
500 ml Spargelsud
1/2 Bund Zitronenmelisse

Zubereitungszeit ca. 35 Min.
Pro Portion ca. 408 kcal / 1712 kJ
E 29 g, F 29 g, KH 7 g

1 Den weißen Spargel von oben nach unten großzügig schälen. Den grünen Spargel nur im unteren Drittel schälen. Das holzige Ende abschneiden. In einem ausreichend großen Topf 2 Liter Wasser mit 1 Teelöffel Salz, 1 Prise Zucker und 1/2 Teelöffel der Butter zum Kochen bringen. Den weißen Spargel hineingeben und bei milder Hitze etwa 15–20 Minuten garen. Den grünen Spargel nach etwa 5–7 Minuten dazugeben und mitgaren.

2 Die Fischfilets waschen, abtrocknen und mit Salz und Zitronenpfeffer würzen. Mit 1 Esslöffel Zitronensaft beträufeln. Das Öl mit 1 Esslöffel Butter erhitzen und die Filets darin von beiden Seiten scharf anbraten. Vom Herd nehmen und nachgaren lassen.

3 Speisestärke, Eigelbe und Spargelsud verrühren und bei milder Hitze unter Rühren zum Kochen bringen. Vom Herd nehmen und die restliche Butter in Flöckchen unterschlagen. Die Zitronenmelisse waschen, trockenschütteln, fein hacken und zur Sauce geben. Mit Salz, restlichem Zitronensaft und Zitronenpfeffer abschmecken. Die Fischfilets mit Spargel und der Sauce anrichten und servieren.

Lachstatar mit Spargel

1 Den Lachs waschen, abtrocknen und in sehr feine Würfel schneiden. Das Olivenöl mit dem Zitronensaft und dem Essig verrühren. Mit Salz und Pfeffer abschmecken. Die Kräuter waschen, trockenschütteln und fein hacken. Die Lachswürfel mit der Hälfte der Marinade und den Kräutern mischen und bis zum Verzehr kühl stellen.

2 Den Spargel von oben nach unten großzügig schälen. Das untere holzige Ende abschneiden. In einem ausreichend großen Topf 1 1/2 Liter Wasser mit 1/2 Teelöffel Salz, 1 Prise Zucker und der Butter zum Kochen bringen. Die Spargelstangen hineingeben und bei milder Hitze etwa 15–20 Minuten garen.

3 Das Brot in Scheiben schneiden, mit der Kräuterbutter bestreichen und unter dem Grill kurz bräunen. Die Spargelstangen herausheben, gut abtropfen lassen und sternförmig auf großen Tellern anrichten. Mit der restlichen Marinade beträufeln. Das Lachstatar in die Mitte des Tellers geben, 1 Baguettescheibe darauf setzen und mit Oregano garniert und restlichem Baguette servieren.

ZUTATEN FÜR 4 PERSONEN

400 g frisches Lachsfilet
4 EL Olivenöl
2 EL Zitronensaft
2 EL Weinessig
Salz
Pfeffer
1/2 Bund gemischte Kräuter
750 g weißer Spargel
Zucker
1/2 TL Butter
1 Baguette
Kräuterbutter (FP) zum Bestreichen
Oregano zum Garnieren

Zubereitungszeit ca. 30 Min.
Pro Portion ca. 263 kcal / 1103 kJ
E 22 g, F 14 g, KH 13 g

Spargel-Risotto mit Garnelen

ZUTATEN FÜR 4 PERSONEN

500 g grüner Spargel
Salz, Zucker
1/2 TL Butter
1 Zwiebel
2 EL Olivenöl
280 g Risotto-Reis
je 2 EL Weißwein und Limettensaft
1 l Hummerfond (a. d. Glas)
Pfeffer
500 g gekochte Garnelenschwänze
1/2 Bund glatte Petersilie

Zubereitungszeit ca. 30 Min.
Pro Portion ca. 393 kcal / 1649 kJ
E 28 g, F 6 g, KH 56 g

1 Den Spargel nur am unteren Drittel schälen. Das holzige Ende abschneiden und die Stangen in 3 cm lange Stücke schneiden. In einem großen Topf 1 Liter Wasser mit 1/2 Teelöffel Salz, 1 Prise Zucker und der Butter zum Kochen bringen. Die Spargelstücke hineingeben und bei milder Hitze etwa 10 Minuten garen.

2 Die Zwiebel schälen und in Würfel schneiden. Das Öl erhitzen und die Zwiebelwürfel darin anschwitzen. Den Reis zugeben und unter Rühren etwa 1–2 Minuten mit anschwitzen. Den Weißwein, den Limettensaft und den Hummerfond mischen, mit Salz und Pfeffer würzen und nach und nach zum Reis geben. Immer erst neue Flüssigkeit zugeben, wenn die alte verkocht ist.

3 Die Spargelstücke herausheben, gut abtropfen lassen und zusammen mit den Garnelenschwänzen unter das Risotto heben. Die Petersilie waschen, trockenschütteln und fein hacken. Das Risotto in Schälchen anrichten und mit Petersilie bestreut servieren.

Spargelgratin mit Krebsfleisch

1 Den weißen Spargel von oben nach unten, den grünen Spargel nur im unteren Drittel schälen. Das holzige Ende abschneiden. 2 Liter Wasser mit 1 Teelöffel Salz, Zucker und Butter zum Kochen bringen. Den weißen Spargel hineingeben und bei milder Hitze etwa 15–20 Minuten garen. Nach etwa 5–7 Minuten den grünen Spargel dazugeben. Herausheben und gut abtropfen lassen. Den Backofen vorheizen (E-Herd: 200 °C / Umluft: 175 °C / Gas: Stufe 3).

2 Sahne und Eigelb verrühren und mit Salz und Zitronenpfeffer würzen. Das Krebsfleisch zerpflücken und hinzufügen. Kerbel waschen, trockenschütteln und die Blättchen von den Stielen zupfen. Zur Sauce geben. Eine feuerfeste Form einfetten.

3 Den Spargel in die Form geben, Sauce darüber gießen und mit Käse bestreut auf der mittleren Einschubleiste des Backofens etwa 15–20 Minuten gratinieren. Aus dem Ofen nehmen und sofort servieren.

ZUTATEN FÜR 4 PERSONEN

je 500 g weißer und grüner Spargel
Salz, 1 Prise Zucker
1/2 TL Butter
250 g süße Sahne
1 Eigelb
Zitronenpfeffer
500 g Krebsfleisch
1 Bund Kerbel
Fett für die Form
100 g geriebener Greyerzer

Zubereitungszeit ca. 25 Min.
(plus ca. 15–20 Min. Gratinierzeit)
Pro Portion ca. 460 kcal / 1932 kJ
E 38 g, F 30 g, KH 9 g

Paprikaschoten mit Spargel-Fisch-Füllung

1 Den Spargel von oben nach unten großzügig schälen. Das untere holzige Ende der Spargelstangen abschneiden. Den Spargel in etwa 3 cm große Stücke schneiden. In einem ausreichend großen Topf 1 1/2 Liter Wasser mit 1/2 Teelöffel Salz, 1 Prise Zucker und 1/2 Teelöffel der Butter zum Kochen bringen. Die Spargelstücke hineingeben und bei milder Hitze etwa 10–12 Minuten garen. Das Fischfilet waschen, abtrocknen und in mundgerechte Stücke schneiden. Mit Salz, Pfeffer, Zitronensaft und Sojasauce würzen.

2 Die restliche Butter mit dem Öl erhitzen und die Fischstücke darin unter Rühren etwa 2–3 Minuten anbraten. Herausheben und gut abtropfen lassen. Das Mehl in das verbliebene Bratfett rühren, kurz anschwitzen und mit dem Spargelsud und der Milch ablöschen. Unter Rühren aufkochen lassen und mit Salz und Pfeffer würzen. Die Fischstücke zusammen mit dem Spargel hineingeben und erwärmen. Den Backofen vorheizen (E-Herd: 200 °C / Umluft: 175 °C / Gas: Stufe 3).

3 Den Schnittlauch waschen, trockenschütteln und in feine Röllchen schneiden. Unter das Fischragout rühren. Die Paprikaschoten putzen, waschen, den Deckel abschneiden und die Kerne und Trennhäute entfernen. Die Schoten mit dem Fisch-Spargelragoût füllen. Die Paprikaschoten auf ein Backblech setzen und mit dem Gorgonzola belegen. Auf der mittleren Einschubleiste etwa 15–20 Minuten überbacken. Aus dem Ofen nehmen und servieren.

ZUTATEN FÜR 4 PERSONEN

750 g weißer Spargel
Salz
Zucker
3 EL Butter
500 g Kabeljaufilet
Pfeffer
2 EL Zitronensaft
1 EL Sojasauce
1 EL Öl
3 EL Mehl
250 ml Spargelsud
250 ml Milch
1/2 Bund Schnittlauch
8 rote Paprikaschoten
125 g Gorgonzola

Zubereitungszeit ca. 35 Min.
Pro Portion ca. 350 kcal / 1470 kJ
E 37 g, F 14 g, KH 17 g

Spargel-Lachs-Rouladen

ZUTATEN FÜR 4 PERSONEN

500 g grüner Spargel
Salz
Zucker
1/2 TL Butter
700 g Lachsfilet
Zitronenpfeffer
1 EL Speisestärke
100 ml süße Sahne
1 Ei
2 EL Zitronensaft
1 Packung Sauce Hollandaise (FP)
(oder Rezept S. 15)
Küchengarn

Zubereitungszeit ca. 45 Min.
Pro Portion ca. 345 kcal / 1449 kJ
E 36 g, F 21 g, KH 4 g

1 Den Spargel nur am unteren Drittel schälen. Das untere holzige Ende abschneiden. In einem ausreichend großen Topf etwa 1 Liter Wasser mit 1/2 Teelöffel Salz, 1 Prise Zucker und der Butter zum Kochen bringen. Die Spargelstangen hineingeben und bei milder Hitze etwa 10–12 Minuten garen.

2 Das Fischfilet waschen, abtrocknen und 200 g des Filets in grobe Stücke schneiden. Die Stücke zusammen mit Salz, Zitronenpfeffer, der Speisestärke, der Sahne und dem Ei im Mixer fein pürieren. Das restliche Lachsfilet quer in 2 dünne Scheiben schneiden und diese halbieren. Mit Salz, Pfeffer und dem Zitronensaft würzen und mit der Lachsfarce bestreichen.

3 Die Spargelstangen herausheben, gut abtropfen lassen und auf dem Fisch verteilen. Die Filetscheiben aufrollen und mit Küchengarn befestigen. Die Lachsrouladen in wenig Salzwasser bei milder Hitze etwa 30 Minuten dünsten. Die Hollandaise nach Packungsanweisung erwärmen oder nach Rezept selber herstellen. Zusammen mit je 1 Lachsroulade anrichten und servieren.

Spargelwraps

1 Den Spargel nur am unteren Drittel schälen. Das untere holzige Ende abschneiden. Die Zuckerschoten putzen und waschen. In einem ausreichend großen Topf 1 1/2 Liter Wasser mit 1/2 Teelöffel Salz, 1 Prise Zucker und der Butter zum Kochen bringen. Die Spargelstangen mit den Zuckerschoten hineingeben und bei milder Hitze etwa 10–12 Minuten garen.

2 Den Salat putzen, waschen, trockenschütteln und in breite Streifen schneiden. Den Thunfisch in ein Sieb geben und gut abtropfen lassen. Die saure Sahne mit der Mayonnaise und dem Zitronensaft verrühren. Mit Salz und Pfeffer würzen.

3 Die Tortillas mit der Sauce bestreichen. Spargel und Zuckerschoten herausheben, gut abtropfen lassen und mit dem Salat und dem Thunfisch auf den Tortillas verteilen. Fest aufrollen und unter dem vorgeheizten Grill etwa 5–7 Minuten überbacken. Die Wraps aus dem Grill nehmen, auf Tellern anrichten und mit Oregano garniert sofort servieren.

ZUTATEN FÜR 4 PERSONEN

750 g grüner Thaispargel
oder normaler grüner Spargel
100 g Zuckerschoten
Salz, Zucker
1/2 TL Butter
1/2 Kopf Eisbergsalat
1 Dose Thunfisch (210 ml EW)
125 g saure Sahne
2 EL Mayonnaise
2 EL Zitronensaft
Pfeffer
8 große Tortillas (FP)
Oregano zum Garnieren

Zubereitungszeit ca. 30 Min.
Pro Portion ca. 265 kcal / 1113 kJ
E 7 g, F 15 g, KH 25 g

Steinbutt mit Spargel auf Blätterteig

ZUTATEN FÜR 4 PERSONEN

4 Blätterteigplatten (TK)
500 g weißer Spargel
Salz, 1 Prise Zucker
160 g kalte Butter
500 g Steinbuttfilet
Pfeffer
2 EL Zitronensaft
1 Eigelb
1/2 Bund Frühlingszwiebeln
250 g Spargelsud
150 ml Weißwein
1/2 Bund Petersilie
1 EL Crème double

Zubereitungszeit ca. 45 Min.
Pro Portion ca. 603 kcal / 2531 kJ
E 29 g, F 37 g, KH 34 g

1 Die Blätterteigplatten nach Packungsanweisung auftauen lassen. Den Backofen vorheizen (E-Herd: 200 °C / Umluft: 175 °C / Gas: Stufe 3). Den Spargel von oben nach unten großzügig schälen. Das holzige Ende abschneiden. 1 Liter Wasser mit 1/2 Teelöffel Salz, Zucker und 1/2 Teelöffel Butter zum Kochen bringen. Den Spargel hineingeben und bei milder Hitze etwa 15–20 Minuten garen.

2 Das Fischfilet waschen, abtrocknen, in 4 Stücke schneiden. Mit Salz, Pfeffer, Zitronensaft würzen und im Siebeinsatz 8–10 Minuten dämpfen. Den Blätterteig mit Eigelb bestreichen und auf der mittleren Einschubleiste des Backofens etwa 15 Minuten backen.

3 Die Frühlingszwiebeln putzen, waschen und in feine Ringe schneiden. Mit Spargelsud und Weißwein bei milder Hitze auf die Hälfte einkochen lassen. Die Petersilie waschen, trockenschütteln und fein hacken. Dazugeben und die restliche Butter flöckchenweise unterschlagen. Die Sauce mit Salz und Pfeffer abschmecken und mit der Crème double verfeinern. Blätterteigplatten durchschneiden mit Fisch und Spargel belegen, mit Sauce überziehen den Deckel daraufsetzen und servieren.

Grüne Tagliatelle mit Spargel-Lachs-Sauce

1 Den Lachs waschen, abtrocknen und in mundgerechte Stücke schneiden. Mit Zitronensaft beträufeln und mit Salz und Pfeffer würzen. Zugedeckt kühl stellen. Den Spargel von oben nach unten großzügig schälen. Das untere holzige Ende der Spargelstangen abschneiden und die Stangen in dünne Scheiben schneiden.

2 Die Frühlingszwiebeln putzen, waschen und in Röllchen schneiden. Die Butter erhitzen und die Frühlingszwiebeln mit dem Spargel darin unter Rühren etwa 2–3 Minuten anschwitzen. Mit dem Wein und der Sahne ablöschen, aufkochen lassen und bei milder Hitze etwas einkochen. Mit Salz und Pfeffer würzen und die Lachsstücke darin etwa 5–8 Minuten garen.

3 Die Nudeln nach Packungsanweisung in ausreichend kochendem Salzwasser bissfest garen. In ein Sieb abgießen, mit kaltem Wasser abschrecken, gut abtropfen lassen und zusammen mit der Sauce anrichten und servieren.

ZUTATEN FÜR 4 PERSONEN

400 g Lachsfilet
2 EL Zitronensaft
Salz
Pfeffer
500 g weißer Spargel
1 Bund Frühlingszwiebeln
2 EL Butter
125 ml Weißwein
250 g süße Sahne
350 g grüne Tagliatelle

Zubereitungszeit ca. 30 Min.
Pro Portion ca. 615 kcal / 2583 kJ
E 32 g, F 22 g, KH 66 g

Rezeptregister

D1872203

ISBN 3-8118-1984-4

Printed in Spain

Die Schreibweise entspricht den Regeln der neuen Rechtschreibung.